Amadou Hampâté Bâ, descendant d'une famille
aristocratique peule, est né au Mali en 1900.
Écrivain, historien, ethnologue, poète et conteur, il
est l'un des plus grands spécialistes de la culture
peule et des traditions africaines.

Chercheur à l'Institut français d'Afrique Noire de
Dakar dès 1942, Amadou Hampâté Bâ fut l'un des
premiers intellectuels africains à recueillir, transcrire
et expliquer les trésors de la littérature orale traditionnelle ouest-africaine – contes, récits, fables,
mythes et légendes. Ses premières publications
datent de cette période.

En 1962, au Conseil exécutif de l'UNESCO, où il
siégeait depuis 1960, il a attiré l'attention sur
l'extrême fragilité de la culture ancestrale africaine
en lançant un cri d'alarme devenu célèbre : « En
Afrique, quand un vieillard meurt, c'est une biblio-
thèque qui brûle. »

Outre des contes comme *Petit Bodiel et autres contes
de la savane*, Amadou Hampâté Bâ a également écrit
des ouvrages d'histoire, des essais religieux, comme
Jésus vu par un musulman, *Vie et enseignement de
Tierno Bokar, le sage de Bandiagara*, ainsi que ses
mémoires, *Amkoullel l'enfant peul*, suivi de *Oui,
mon commandant*, publiés en France dès 1991.

Amadou Hampâté Bâ est mort à Abidjan en mai 1991.

PETIT BODIEL
ET AUTRES CONTES
DE LA SAVANE

AMADOU HAMPÂTÉ BÂ

PETIT BODIEL
ET AUTRES CONTES
DE LA SAVANE

STOCK

© 1993, Nouvelles Éditions Ivoiriennes.
© 1994, Éditions Stock.
ISBN 978-2-266-15788-9

Un conte est un miroir
où chacun peut découvrir sa propre image...

Amadou Hampâté Bâ

Petit Bodiel

Conte peul

Il y a très longtemps, dans le Sano, pays des baobabs géants aux troncs et branches cuivrés, vivait une famille de lièvres appelée Famille Bodiel[1].

Papa et Maman Bodiel étaient de braves travailleurs. Ils peinaient sans relâche et sans murmure du matin au soir. Chaque fin de journée les voyait revenir chargés de vivres variés : pain de singe[2], fruits de rônier, jujubes jaunes, fruits bien mûrs de la savane, autant de bonnes choses pour la subsistance de la famille.

Quant à Petit Bodiel, il était, hélas ! le modèle des mauvais petits. Jamais il ne voulut rien faire, sinon l'imbécile, dormir et redormir. Il ne sortait de sa couche qu'au moment où le soleil montait au zénith et lui plongeait dans le ventre les flèches aiguës de ses rayons ardents. Et quand il se levait ainsi malgré lui, c'était pour aller, en guise de bonjour, demander à sa mère de quoi garnir son estomac solide et malencontreusement toujours vide.

Petit Bodiel n'était pas aussi sot qu'il était paresseux. C'est pourquoi cette andouillette s'arrangeait

1. Bodiel : « lièvre » en peul, (pluriel : *bodjoy).*
2. Fruit du baobab.

chaque fois pour ne pas se rendre chez sa mère quand son père y était. Papa Bodiel, en effet, n'était ni commode ni complaisant. Il avait pour son fils, toujours occupé à des riens, plus de clystères de coups de pied[1] que d'affectueuses tapes paternelles.

Petit Bodiel n'était pas simplement un « cul de plomb », quelqu'un qui ne fait jamais rien. En plus il était dégoûtant, et faisait constamment pipi dans sa couche. Mais, comme toutes les mamans de la terre, Maman Bodiel écoutait la voix profonde de ses entrailles et fermait les yeux sur les défauts de son fils gourmand et goinfre.

Elle cherchait entre terre et ciel des excuses pour sa ventrée vaurienne. Elle l'excusait de pisser dans sa couche et de ne jamais rien faire, sinon, de temps en temps, aller se tapir dans les touffes de vétiver[2], cachette d'où il pouvait contempler les jouvencelles qui, toutes nues, s'abandonnaient aux joies de la baignade.

Tous les êtres ont un sort commun, celui de finir par mourir, et souvent sans y être préparés. Ce qui doit arriver à tout être allait arriver à Papa Bodiel. Règle sans exception !

Une nuit, très fatigué, il se coucha. Son âme, qui s'était échappée de son corps durant son sommeil pour converser avec la Nuit, fut enlevée par cette belle et mystérieuse femme, drapée d'un manteau noir serti d'étoiles.

Au matin l'aurore jaillit des ombres. Mais le visage de Papa Bodiel resta sombre. Ce père, grand travailleur, était mort. Paix à son âme laborieuse et honnête ! Il laissait une veuve sans ressources qui vaillent et un fils qui n'était savant qu'en anatomies de belles filles...

1. « Série de coups de pied » (argot militaire).
2. Graminacée aux racines aphrodisiaques.

La Tradition est parfois injuste[1]. Elle s'en prend à la maman d'un vaurien, et non au vaurien lui-même. C'est ainsi que la maman de Petit Bodiel devint la risée de son village.

Dendi Bani Kono le Tantale, cousin germain de Bani Kono la Cigogne, revêtit ses beaux boubous blanc et noir. En quelques grandes enjambées facilitées par ses longues échasses, il se rendit chez Maman Bodiel. « Je viens, lui dit-il, te conseiller de sévir contre ton fils. Il y va de ta réputation. S'il ne se corrige pas, tu auras, par sa faute, des surprises désagréables avec tes voisins. Sache, ma chère amie, qu'un parent qui laisse son enfant dans le dos devenir une hache[2] risque tôt ou tard de voir celle-ci lui tomber sur les talons et lui couper les tendons... »

Maman Bodiel n'apprécia nullement la mise en garde de Tantale. La mère n'est-elle pas toujours la première à découvrir les défauts de son enfant, et la dernière à les publier... ? « De quoi se mêle Tantale..., susurra le cœur de Maman Bodiel à son oreille maternelle. Il faut que Tante Araignée de la Mélancolie[3] l'ait piqué cette nuit, pour qu'il s'agite si violemment à propos d'un cas qui ne regarde que ton fils et toi... »

Cependant, la voix de la raison pure intervint et murmura doucement à l'intelligence objective de Maman Bodiel :

« Par le Roi du Ciel, par la Reine des Terres, par le Prince des Océans ! Maman Bodiel, fais taire tes

---

1. La Tradition africaine considère que tout ce que l'homme est, et tout ce qu'il a, il le doit une fois à son père, mais deux fois à sa mère. On juge la mère beaucoup plus responsable que le père des qualités ou des défauts de l'enfant.
2. Expression qui signifie « trop gâter son enfant » (on sait que les mamans africaines portent leur enfant sur leur dos).
3. Nom donné à une araignée dont la piqûre provoque des accès de mélancolie ou d'humeur violente.

sentiments maternels et prête oreille aux conseils désintéressés d'un ami avisé et direct ! Quand bien même remplirais-tu les plus grands silos et greniers pour ton enfant vaurien, s'il ne change pas son état d'âme il n'en vaudra pas davantage. »

Maman Bodiel réfléchit longuement. Elle se dit :

« Une voix étrangère pourrait me tromper, mais celle qui vient de mon tréfonds ne saurait le faire. Je dois, je veux, il faut que je fasse taire mon cœur de mère et ferme mes oreilles maternelles ! »

Joignant pensée, parole et action, Maman Bodiel se précipita dans la chambrée de son fils. Elle se saisit du dormeur invétéré par l'une de ses pattes postérieures. Elle le traîna jusqu'au pied du baobab sacré, à la manière dont les fils d'Adam traînent les cadavres d'animaux en état de putréfaction avancée [1].

Là, Maman Bodiel s'assit sur son arrière-train. Elle demanda impérativement à son fils d'en faire tout autant. Alors, face à face, les yeux maternels plongeant dans les yeux filiaux, Maman Bodiel dit :

« Petit Bodiel ! Tu n'es plus un bébé. Dans trois lunes, tu vas atteindre ta majorité. Tu seras désormais responsable de toi vis-à-vis de toi-même et vis-à-vis des autres.

« Quand Guéno l'Eternel [2] te jeta dans l'océan de mon ventre par l'entremise du lance-pierre de ton père, je tressaillis de joie. Quand, sans danger, les os de mon bassin s'écartèrent pour te mettre au monde, j'exultai de plaisir. En te voyant grandir, mes espoirs s'élevèrent plus haut que le chaume des bambous géants.

« Je pensais que tu serais un roi de la brousse, que tu disputerais le commandement de la savane au couple

---

1. Manière infamante de traîner quelqu'un en le tirant par une jambe, à la façon dont on tire les cadavres d'animaux.
2. *Gueno* : Dieu suprême des Peuls, appelé « l'Éternel ».

habillé de couleur fauve... Je pensais que la touffe de ta queue aurait raison de la crinière du despote à la grosse tête, Grand Frère Lion Korodiara, qui ravage les troupeaux de zèbres, casse le cou des antilopes et s'abreuve du sang de la girafe dont il confond le long col avec son aiguière[1].

« Mais non ! Voilà que tu ne fais et sembles ne vouloir faire toute ta vie que bâiller, dormir, te réveiller, manger, digérer, pisser et péter ! Tu sues et produis de tels bruits, avec une telle incontinence, que Donzelle Nyâlal l'Aigrette, bien que fille de "soyons charitables[2]", m'a lancé l'autre jour cette apostrophe : "Eh, Maman Bodiel ! Ton fils n'a-t-il d'autre orifice que son anus ?" Après m'avoir ainsi insultée à travers toi, elle s'en est allée, laissant flotter au vent les plus minces de ses duvets pour mieux se moquer de moi.

« Ton père est mort. Ce qu'il avait de plus gros sur le cœur, c'était d'avoir mis au monde un vaurien qui ne vaut et ne va rien valoir.

« Ngirja le petit Phacochère est de ton âge, mais il sait déjà se servir de son groin et déterre à longueur de journée de quoi se nourrir.

« Diaraden le petit Lionceau est de ta classe. Il fait de véritables prouesses. Sa mère en est heureuse et son âme est en liesse.

« Dawangel-baadi, le petit singe Cynocéphale[3], aboie à se faire passer pour un chien de roi. Il sait cueillir des fruits mûrs.

« Quant à toi, rien de rien ! Si tu ne changes pas –

---

1. Le lion étant considéré comme le roi des animaux, la tradition lui attribue les mêmes ustensiles qu'à un roi : ici la carafe à long col appelée « aiguière », surtout en usage chez les Arabes.
2. Expression qui désigne « le vice qu'on ne saurait nommer ». Il s'agit donc ici d'une « fille de mauvaise vie ».
3. Petit singe aboyeur.

et je désespère que tu puisses changer un jour – je te maudirai face au soleil levant et face au soleil couchant ! Je te renierai un jour de pleine lune [1] !

« Tu n'as été pour moi qu'une source d'inquiétudes quotidiennes. Cela ne saurait durer davantage ! J'ai décidé de me séparer de toi, comme on se sépare d'un tesson de canari brisé [2]. Tu iras vivre où tu voudras et comme tu voudras, mais tu n'empuantiras plus ma demeure !... »

Petit Bodiel, contrit on ne peut plus, demanda à sa mère un délai de quelques lunes pour se corriger.

« Et comment vas-tu faire pour te corriger ? Je voudrais bien le savoir pour en avoir le cœur net.

— Maman ! Je ne t'ai jamais dit que je me suis ménagé l'utile amitié de Yendou, le vieux fourmilier Oryctérope. Je lui ai régulièrement procuré des fourmis. C'est le seul travail que j'accomplis de mes mains. Je m'en vais demander à ce sorcier, mon vieil ami, de m'aider à me corriger. »

Petit Bodiel ramassa beaucoup de fourmis. Il alla les donner au Vieil Oryctérope et lui conta ce dont il était menacé par sa mère.

Quand l'Oryctérope eut fini d'avaler les fourmis, il dit :

« Cette pitance délicieuse vaut bien un talisman porte-bonheur ! Je m'en vais, mon petit ami, te tirer l'épine du pied. Je vais te munir d'un gris-gris merveilleux. Sèche tes larmes ! Fais-moi confiance ! D'ici à quelques semaines, ta mère sera satisfaite de toi.

« Guéno t'a donné une taille minuscule. Il faut, pour compenser, qu'il te rende plus malin. Je n'irai pas jusqu'à te donner le conseil d'être malhonnête, mais puisque tu es faible, tu dois être astucieux...

1. C'est le reniement le plus grave, celui sur lequel on ne revient pas.
2. Canari : marmite de terre cuite.

« Jusqu'ici, Petit Bodiel, à part le ramasseur de fourmis que tu as été pour moi, tu ne fus guère héros qu'à regarder croupes fermes et seins arrondis des baigneuses. Il faut de la femme, certes, mais non au point que ton sexe prenne constamment la place de ton cerveau ! Sinon, le feu de l'amour débridé dévorera le chaume de ta respectabilité, et tu risques d'être soit humilié, soit malheureux.

« Andi Yari le Sage [1] a dit : "Pour l'homme, la femme est un puits sans fond... Pour la femme, l'homme est un fût qui se perd dans la nue... Jamais ils ne peuvent parvenir à la limite l'un de l'autre. Ils sont telles deux énigmes qui se regardent, se parlent et se complètent, sans cesser de se contester. Ils ne peuvent vivre l'un sans l'autre, mais ne peuvent vivre ensemble sans heurts ni éclats. Avec la femme rien ne marche, mais sans la femme, tout serait foutu !"

« Mais finissons-en avec cette question des hommes et des femmes, et examinons comment chasser de ton corps la paresse qui y a élu domicile. »

Yendou le Vieil Oryctérope était un éminent géomancien. Peut-on être grand magicien et ne pas savoir manipuler les 96 esprits qui habitent les 16 demeures où sont scellés les secrets d'hier, d'aujourd'hui et de demain ? C'est impensable.

Pour le vieux fourmilier, il s'agissait de savoir si les affaires de Petit Bodiel allaient prospérer et si tout se terminerait bien. Il dressa un thème selon la géomancie enseignée par le maître Tchien-Mansa, puis il interpréta les points qui occupaient les maisons une, deux et sept. Tout y était masculin, donc positif et favorable.

Yendou confectionna alors un merveilleux gris-gris. Il l'offrit à Petit Bodiel en présence de l'effraie, cousine du hibou, qui servit de témoin sacramentel.

---

1. Nom d'un sage mythique peul.

« Prends ceci, dit-il à Petit Bodiel, et porte-le suspendu à ton cou. Chaque fois que tu éprouveras le besoin de réfléchir, de secourir ou d'être secouru, serre-le entre tes incisives et formule tes vœux. Ils seront exaucés en un battement de paupières. »

Armé de son gris-gris-fait-tout, Petit Bodiel s'en retourna auprès de sa mère.

Il entra dans sa chambrée personnelle. Il prit son gris-gris entre ses incisives, le serra et dit : « Ô Allawalam bâ lôbbo, Bon papa Bon Dieu[1] ! Fais que je ne pisse plus dans ma couche ! Rends mon anus aphone et que l'on n'entende plus sa voix enrouée qui pue et me fait honte !

« Fais que je devienne un vaillant Petit Bodiel et que je fasse le bonheur de ma mère, au point que feu mon père s'en trémoussera de plaisir dans sa tombe et qu'il y rira de joie à en emplir sa bouche de la poussière de sa sépulture ! Amen ! »

Et Petit Bodiel passa la première nuit de sa vie durant laquelle il ne ronfla ni ne pissa... Miracle ! Sa mère eut beau tendre l'oreille, elle ne perçut rien d'insolite, rien de nauséabond. Pas de rot, pas de pet, pas de hoquet... pas de grincement de dents s'entrechoquant... pas de respiration stridente ni cornante... Aucune des flatuosités qui chahutaient toutes les nuits dans le ventre et l'appareil respiratoire de Petit Bodiel ne s'y bringuebala cette nuit-là. Ce fut la nuit où les organes de Petit Bodiel, peut-être fatigués, semblèrent hiberner pour la première fois...

Petit Bodiel aurait-il vraiment changé ?

Il faut avoir un esprit rétrograde et inconvenant pour douter des pouvoirs d'un gris-gris confectionné selon

1. *Allawalam* : « mien Dieu ». *Baa loobbo* : « Bon Papa ».

le modèle sacré dont le prototype est gardé par Allawa-lam dans la salle spéciale des « Caissettes à Transfor-mation[1] ». N'est-ce pas dans cette salle que s'opère le miracle du fil enroulé en hélice[2] ? Celui qui réussirait à jeter un regard par le hublot discret que seuls les appelés peuvent découvrir verrait 56 graines de fonio se changer en 32 germens de riz[3]... Miracle de la vie et de la métamorphose des êtres !

Petit Bodiel, à la plus grande joie de sa maman, n'at-tendit pas que les flèches ardentes du soleil viennent le réveiller. Dès que le muezzin de la gent ailée, Alfa le Coq, eut farfouillé dans ses vêtements composés d'un camail, de deux couvertures claires, de remiges et de lancettes[4], et signalé, par des cris soulignés d'applau-dissements d'ailes, l'apparition de l'aurore, Petit Bodiel s'était levé promptement. Il était déjà bien debout sur ses quatre pattes. Sa mère le trouva en train de faire du feu pour le petit déjeuner !

Il ne fallait pas plus de preuves, pour convaincre celle qui ne demandait qu'à l'être, que le changement survenu en son fils était radical.

De joie, Maman Bodiel se précipita sur son fils et, malgré son poids, le souleva comme un fétu de paille. Elle le porta dans son dos, tout comme lorsqu'il était bébé Bodiel. Mais lorsqu'elle sentit, quelques instants après, les joints de sa colonne vertébrale se desserrer,

1. Les causes des transformations possibles sont considérées comme gardées dans des caissettes, elles-mêmes conservées dans une salle spéciale du royaume d'Allawalam.
2. Fil ou cordelette chargé de vertus magiques, dont se ser-vent les opérateurs. Certains utilisent du fil noué, d'autres du fil enroulé en hélice, en spirale, etc.
3. Germen : ensemble des organes de reproduction d'un être. Il s'agit ici de germes et de chiffres initiatiques ayant une signi-fication très précise.
4. Parties des plumes du coq.

vite elle déposa son fardeau à terre en le couvrant de baisers.

Maman Bodiel était heureuse, à la manière de toute maman découvrant son fils dans les meilleures conditions d'âme et d'esprit.

Quand le soleil eut atteint le sommet des crânes, Petit Bodiel se dit : « C'est l'heure où tous les diables et génies regagnent leur cité à l'ombre des arbres. Je vais en profiter pour les surprendre et accomplir ce que mon vieil ami Yendou l'Oryctérope m'a recommandé. »

Petit Bodiel se rendit à proximité de l'ombre du Grand Tamarinier bossu. C'était un arbre plus vieux que Nabi Moussa (le Prophète Moïse)[1] de 33 ans, 33 mois, 33 jours et 33 clignements d'œil. Là, Petit Bodiel prit son gris-gris entre les dents. Il dit :

« Papa Bon Dieu Allawalam ! Déchire le voile d'entre moi et le monde des génies et des diables[2] ! Que mes yeux les perçoivent ! Que mes oreilles les entendent ! Mais que les diables restent sourds et qu'ils demeurent aveugles ! Que moi je garde mon secret, tout en pénétrant le leur ! »

A l'instant même, le voile qui masquait les diables à la vue des non-diables tomba. Petit Bodiel vit Tchangol Tchardi, une rivière en argent fondu, sourdre du tronc du tamarinier et aller se perdre dans les entrailles de la terre. Il vit Lamdjinni[3], le Roi des diables et des génies, se baigner dans cette rivière. Il avait un corps humain surmonté d'une tête de chat huppé. Sa tête était

1. La référence au temps lointain du Prophète Moïse (Moussa) indique une très grande ancienneté.
2. En peul les *djinn* (mot d'origine arabe) désignent les esprits du monde invisible, qu'on appelle aussi « génies ». Ils peuvent être bons ou mauvais.
3. Littéralement « roi *(lamido*, diminutif *lam)* des djinn ».

munie de deux cornes, et son torse doté d'une poitrine de femme. Son postérieur était muni d'une queue de lion. Il était nu, sans sexe. Sa peau était couleur d'indigo.

De sa bouche et des dix doigts de ses mains sortaient des flammes qui éclairaient comme le soleil en plein midi d'été. Chacun des mouvements de son corps était détonateur d'un cataclysme : tantôt c'était du tonnerre, tantôt un tremblement de terre, tantôt une éruption volcanique, une inondation ou des tourbillons de vent. Autant de phénomènes propres à désoler la terre, à y semer la famine, la maladie et la mort.

Sur les conseils de Yendou le Vieil Oryctérope, Petit Bodiel devait s'arranger pour surprendre Lamdjinni, Roi et « Maître du couteau[1] » des diables, en train de se baigner dans la rivière d'argent. Si cette chance lui était donnée, il devait en profiter pour tremper son gris-gris dans le fleuve avant que le Roi eût fini de se laver. Ce qu'il fit...

Ainsi trempé, aucun sortilège sur terre ne pourrait plus anéantir la puissance du gris-gris. Petit Bodiel savait dès lors qu'il pourrait, sans danger, demander n'importe quoi à n'importe qui, y compris Allawalam lui-même...

Dans la cité des diables – car c'était ni plus ni moins ce que Petit Bodiel avait découvert –, il vit des génies de toutes espèces et de toutes formes. Certains avaient l'aspect de paisibles vieillards à visage humain ; mais il en était d'autres dont le corps était celui d'un âne surmonté d'une tête de lion, ou d'un bélier avec une tête d'autruche, ou encore d'une poule avec une tête de grenouille... En un mot, c'était le royaume de l'hybridité extravagante, résultat d'accouplements qui se faisaient au petit bonheur et à qui mieux mieux entre animaux, oiseaux, poissons et hommes...

1. Le plus élevé des grades initiatiques opératoires.

Une telle promiscuité ne pouvait pas ne pas provoquer le courroux d'Allawalam, qui a créé les règnes afin que les mâles de chaque espèce aillent avec les femelles de même nature, et non pour que des humains aillent avec des animaux, ou des génies avec des grenouilles !

Après sa visite de la cité des diables, Petit Bodiel se dit : « Il faut que mon cerveau travaille pour rattraper le temps considérable que j'ai perdu, à faire et à refaire ce dont je vous épargne le rappel, par égard pour vos oreilles et vos narines ! »

Son gris-gris entre les dents, Petit Bodiel commanda à son cerveau, à son cœur et à ses entrailles de travailler. Ils travaillèrent tous, dur et bien.

Le résultat fut qu'ils suggérèrent à Petit Bodiel d'aller voir Allawalam lui-même pour lui demander des aptitudes à la ruse, afin de pouvoir faire comme au royaume des fils d'Adam, où les plus rusés deviennent rois, exploitent les autres et les asservissent.

Petit Bodiel vint mettre sa mère au courant de son projet.

Maman Bodiel en fut émue jusque dans sa moelle épinière. Elle fut prise d'un frisson dû à la peur et à l'étonnement, mais aussi et surtout à l'orgueil maternel réveillé par l'idée du grand exploit qu'allait accomplir son fils – tant il est vrai que toute maman dont le fils s'apprête à réaliser des prodiges et à devenir le grand coq du village s'enorgueillirait sans même le vouloir...

Aussi Maman Bodiel, bien que son petit lui eût expressément recommandé de tenir son voyage secret, ne sut-elle tenir ses lèvres closes... Elle se rendit chez Nagara-Ara la Vieille Anesse, et lui dit entre deux sourires :

« Ô ma chère amie ! Peux-tu m'avancer quelques mesures de mil ?

— Pour quoi faire, Maman Bodiel ? demanda Nagara-Ara la Vieille Anesse.

— Un mien parent très proche va entreprendre un long voyage. Il lui faudrait une bonne quantité de couscous pour la route.

— Qui est-ce ? Et où va-t-il ? demanda Nagara-Ara, devenue subitement curieuse et fouinarde.

— Je ne puis te le dire, ce n'est point mon secret...

— Tu crois que je suis une bavarde ? Apprends, mon amie, que je suis une Yanaandé, une tombe, quant aux confidences que l'on me fait. Je sais que celui qui divulgue facilement les secrets qu'on lui confie risque de voir la malédiction lui dilater les artères et une tumeur maligne lui obstruer la circulation du sang. C'est la mort... »

Maman Bodiel fit semblant d'être rassurée. Elle dit à Nagara-Ara :

« De peur que les vents n'emportent et ne sèment partout ce que je m'en vais te confier, prête-moi l'oreille de ton cœur. »

Nagara-Ara tendit sa grande oreille gauche. Maman Bodiel dit alors, à voix très basse :

« Mon fils va se rendre chez Papa Bon Dieu Allawallam ! »

A peine Maman Bodiel eut-elle quitté Nagara-Ara que celle-ci s'en fut trouver Gôlowo-pôli le Perroquet, crieur public des oiseaux. Elle l'informa, comme nouvelle du jour, du prochain voyage de Petit Bodiel chez Allawalam ; mais elle lui recommanda de garder pour lui ce secret, car c'était un « secret de tombe sacrée », un secret que l'on ne doit jamais violer.

Perroquet monta très haut dans les branches. Il oublia que la nouvelle du voyage de Petit Bodiel lui était donnée à titre strictement confidentiel et personnel, donc à ne pas propager. Au lieu de l'avaler, il la garda dans sa bouche.

Gôlowo-pôli le Perroquet était le nouvelliste de la

jungle. Il voulut informer son public des événements portés à la connaissance de son intelligence. Habituellement, les nouvelles lui pénétraient par les oreilles et allaient s'emmagasiner dans une cavité de son cœur, d'où, comme dans la digestion de certains mammifères ruminants, elles remontaient ensuite pour se répandre au-dehors en passant par sa bouche.

Malencontreusement, cette fois-ci la nouvelle du voyage de Petit Bodiel emplissait encore la bouche de Perroquet, par où elle était entrée en tant que secret de tombe sacrée. Quand les nouvelles à publier voulurent sortir par cette issue, elles bousculèrent celle qui obstruait leur passage. Ainsi la nouvelle du voyage de Petit Bodiel, que Perroquet devait garder au fin fond de son cœur, tomba-t-elle au-dehors comme tomberait un œuf pondu entre terre et ciel par une femelle surprise et étourdie par la douleur !

La nouvelle se répandit partout, si bien qu'avant midi il n'y avait plus, dans le bosquet, un seul être vivant qui ne connût le projet téméraire de Petit Bodiel. Certains ne se gênaient pas pour ricaner. « Evidemment, disaient-ils, quand celui qui jamais ne sort, sort, ce ne peut être que pour rendre visite à Allawalam lui-même, ou à Inna-Bone, Mère de la calamité ! Petit Bodiel croit-il que la demeure d'Allawalam est à dix coudées, neuf phalanges, deux phalangines et une phalangette de chez sa maman ? Sa surprise risque d'être vertigineuse !... »

Par cette rumeur, Maman Bodiel découvrit avec une surprise désagréable que Nagara-Ara avait parlé. Elle se rendit chez l'indiscrète Vieille Anesse et lui adressa de véhéments reproches. Pour toute réponse, Nagara-Ara se mit à braire bruyamment et à ruer de toute la force de ses pattes postérieures. Maman Bodiel fut obligée de se garer pour éviter les coups distribués en l'air et dans sa direction. Alors elle entendit la ganache, mâchoires ouvertes, lèvres retroussées, dents à nu, oreilles collées, lui dire : « Si ton secret pouvait rester enfermé dans un cœur, pourquoi l'as-tu sorti du tien ? Ô Maman Bodiel, apprends que les confidences ont le naturel d'une épouse volage ! Elles sont constamment en abandon de domicile conjugal, parce qu'elles n'aiment pas la monotonie, fût-elle luxueuse et agréable. »

De retour chez elle, Maman Bodiel ne savait plus comment regarder son fils. Les rôles étaient renversés...

Mais, « œil soigné pour œil soigné », Petit Bodiel, au lieu de se vexer et de gronder sa mère, consola celle qui l'avait tant consolé. Il lui dit d'une voix douce :

« Ton indiscrétion, si c'en était une, va me servir énormément. Elle va constituer une grande propagande en ma faveur. Même si je l'avais demandée, je n'aurais jamais obtenu une telle propagande de la part de nos concitoyens.

« Ici-bas, ma mère, il faut tirer leçon et profit de toutes les situations. C'est le meilleur remède contre dépression et prostration, qu'elles soient dues à une cause morale ou physique. Savoir souffrir guérit sa souffrance, même aiguë.

« Maintenant que l'on connaît mon intention, tous les yeux, y compris ceux des jouvencelles que j'aime et des jouvenceaux qui me haïssent, vont se tourner vers moi comme vers une cible parce que j'ai un objectif élevé. Je serai désormais tel le croissant d'une nouvelle lune, et n'en serai que fort flatté. Mais je voudrais briller davantage encore. Il faut que je réussisse, que le monde parle de moi et en bien, pour effacer tout le mal qu'il a dit de moi depuis tant d'hivernages qui ont lessivé bien des lunes[1]... »

---

1. L'hivernage est la saison annuelle des pluies. Une « lune » désigne le mois lunaire (28 à 30 jours).

Son sac de couscous et sa gourde d'eau en calebassier battant en bandoulière sur ses deux flancs, Petit Bodiel serra son gris-gris entre les dents. Il fit travailler son cerveau. Son noble viscère travailla et lui dit :

« Ramasse trois paniers de sauterelles bien grasses, et porte-les à Kîkala Doutai le Vieux Vautour. Il niche dans les branches du caïlcédrat planté au milieu du Lac vert.

— Où est le Lac vert ?

— Va fouiller dans l'éboulis buissonneux, non loin de la Mare aux Caïmans que tu connais. Tu y trouveras Bawel le Cigogneau, que Chat Sauvage a blessé. Celui-ci l'aurait dévoré si Cobra n'était survenu à temps pour piquer et tuer Chat Sauvage.

« Recueille Bawel le Cigogneau, et soigne-le. Quand sa mère Bawal la Cigogne, qui le cherche partout en claquant du bec, sera à portée de ta voix, hèle-la et rends-lui son petit. En récompense de ton sauvetage, Bawal la Cigogne, qui est un grand géographe et une infatigable exploratrice des continents, te conduira au Lac vert. Des terres et des mers, sauf celles qui n'existent pas, Bawal la Cigogne connaît tout, et tout connaît Bawal la Cigogne. »

Bawel le Cigogneau fut retrouvé et soigné par Petit Bodiel. Quand Bawal la Cigogne récupéra son rejeton, c'est de gaieté de cœur qu'elle conduisit Petit Bodiel au Lac vert, en témoignage de sa reconnaissance.

*

Ce lac était une merveille d'Allawalam ! Ses eaux, vertes le matin et blanches à midi, étaient jaune d'or le soir. Au centre du lac se trouvait un îlot aussi circulaire qu'un rond de paille de laitière peule. Il était tapissé d'un sable aussi fin que de la farine tamisée et de couleur brune à reflets dorés.

Au milieu de l'îlot s'élevait un immense caïlcédrat dont la cime semblait gauler les étoiles. Dans le houppier de ce caïlcédrat nichait Kîkala Doutai le Vieux Vautour...

Guiré le Rat palmiste, qui montait la garde, fut le premier à apercevoir Petit Bodiel. Il grimpa vite prévenir Kîkala Doutai de la visite qu'il allait recevoir. Vieux Vautour fit semblant de dormir, et il ne répondit point quand Petit Bodiel lui adressa le salut d'usage que tout nouvel arrivant doit au domicilié.

Petit Bodiel déchargea ses paniers pleins de sauterelles grasses, que Koumba-Kooba le Gnou, premier-né des antilopes du « pays de la droite [1] », avait transportés gracieusement pour lui.

Pour remercier Koumba-Kooba du service rendu, Petit Bodiel prit son gris-gris entre ses dents, puis il demanda à Allawalam de grossir la tête du Gnou et d'y faire pousser deux cornes en croissant de lune. Il demanda aussi que son garrot fût rehaussé. Le tout fut accompli à l'instant même ! Grosse tête, cornes recourbées, garrot rehaussé, il n'en fallait pas plus pour donner à Koumba-Kooba une prestance de prince, dont il avait besoin pour être élu Roi des ruminants à poil ras !

Koumba-Kooba le Gnou s'en retourna, laissant Petit Bodiel, à côté de ses paniers pleins de sauterelles, prêt à attendre le bon plaisir de Vieux Vautour à la tête chauve et au col dénudé de toute plume.

Petit Bodiel attendit toute la journée et une partie de la nuit. Il n'avait pas somnolé le jour, il ne sommeilla pas la nuit.

Quelques instants avant que l'aurore n'incendiât l'orient, Vieux Vautour appela tout doucement : « Petit Bodiel ! Petit Bodiel ! », comme s'il semblait avoir peur de réveiller les feuilles assoupies du grand arbre.

1. Pays mythique des contes initiatiques.

Petit Bodiel répondit : « Me voilà, Grand-Père, prêt à exécuter toutes tes volontés, comme un esclave soumis et heureux de sa servitude ! »

A ce moment, Djeri-tchewngou le Serval, cousin de Chat Sauvage, miaula... Kîkala le Vieux Vautour garda un moment le silence. Puis il dit :

« Pauvre chat ! Il est si fier de sa robe de fourrure blanche sertie de noir que, chaque nuit, il va au rendez-vous avec la Lune. Et lorsqu'il lui arrive de se disputer avec cette amante, il se met en travers de sa route et intercepte son éclat. Il suce la lumière de la lune comme le vampire suce le sang d'un animal. La Lune s'attriste, brunit et disparaît derrière un voile sombre que lui prête le firmament[1].

« La Terre est plongée dans l'obscurité. Les fils d'Adam prennent grande peur, car ils la considèrent comme un signe de la fin du monde. On dit alors que "le chat s'est saisi de la Lune". Hommes, femmes et enfants sortent dans les rues, habillés de haillons ou d'une manière baroque : culottes à la place des boubous, hommes habillés en femmes, femmes habillées en hommes, et ainsi de suite... Ils tapent sur tout ce qui peut créer un vacarme d'enfer en activité. Quelques vieilles femmes pilent de l'eau dans un mortier... Tout cela afin de prouver à Allawalam que les hommes sont devenus imbéciles, qu'il devrait avoir pour eux de la compassion et prolonger les jours de leur habitat, la Planète Terre, en obligeant le méchant chat à lâcher prise. »

Mais laissons Djeri-tchewngou le Serval aller à son rendez-vous, et prêtons l'oreille à la conversation de Petit Bodiel avec Kîkala Doutal le Vieux Vautour...

---

1. Tout ce passage, et le paragraphe suivant, correspondent au rituel de l'éclipse où l'on dit que « le chat a attrapé la Lune ».

« Que me veux-tu, Petit Bodiel ?

— Le plus grand bien, Grand-Père. La preuve en est que je t'apporte trois paniers de sauterelles bien grasses pour ton déjeuner et ton dîner.

— Comment as-tu fait, Petit Bodiel, pour capturer tant de sauterelles munies d'ailes solides ?

— J'ai emprunté pour une semaine le grand filet à menus poissons de l'Aigle pêcheur, roi des Lacs noirs. Je l'étendis comme il faut sur le passage d'un grand vol de Tenké, ces criquets-sauterelles qui se font appeler "pèlerins" alors qu'ils ne vont jamais aux lieux saints. Quand leur Reine ordonna à ses colonnes d'aller piller les récoltes, elles foncèrent tête baissée parce qu'elles allaient contre le soleil. Aveuglées par les rayons, elles ne virent pas le filet blanc qui les attendait, ouvert comme une caverne. Les Tenké s'engouffrèrent dans la panse du filet en se cognant les uns contre les autres. Sous le coup de leur entrechoc, ils y restèrent engourdis et pantelants. Mon filet rempli, je n'eus qu'à joindre les bords et charger ma proie que je viens t'offrir comme étrennes de nouvel an.

— Merci, Petit Bodiel, de m'avoir apporté une couvée considérable de ces dévastateurs nuisibles ! Que dois-je faire en échange pour toi ?

— Rien de particulier, Grand-Père, sinon me bénir pour que l'année qui va naître soit pour moi le point de départ d'une ère de prospérité et d'heureux longs voyages.

— A part cela, qu'est-ce qui pourrait te faire plaisir, Petit Bodiel ?

— Je n'ose me prononcer... Je me rends compte, par avance, de l'extravagance de mon désir...

— Courage, Petit Bodiel ! Il faut oser, car l'audace est souvent un gage de succès sur cette terre où la filouterie est chose courante.

— Puisque tu m'encourages, je n'aurai plus d'inquiétudes de conscience. Ta grande délicatesse vient d'alléger mon cœur des douze grains qui lui pesaient dessus. Grand-Père, j'ai décidé de rendre une visite respectueuse à Allawalam. Mais il me faut ton concours. Toi seul pourras me porter sur tes puissantes ailes de la Terre au Ciel où réside Allawalam le Magnanime. »

Kîkala Doutal le Vieux Vautour, qui tenait alors, pressée dans son bec, une sauterelle enceinte dont quelques œufs sortaient par l'orifice postérieur, ouvrit son bec et laissa tomber sa bouchée. Il regarda Petit Bodiel avec un visage convulsé. Il s'exclama en haala-douté, le plus pur langage des rapaces les plus âpres à poursuivre leur proie :

« Petit, Petit Bodiel ! Qu'as-tu bu de si enivrant pour vouloir aller chez Allawalam ?

— J'ai bu de la vigueur. Elle me fut versée par un esprit serviteur de Yendou le Vieil Oryctérope. Depuis, je me sens aussi fougueux qu'un pur-sang de la race chevaline de couleur bai brun. Il faut que je monte chez Allawalam ! »

La colère enfla Vieux Vautour :

« Tu mériterais, Petit Bodiel, qu'on introduise dans ton orifice occidental [1], pour te châtier, un bois cylindrique perforant ! »

Voyant où il voulait en venir, Petit Bodiel serra vite son gris-gris entre les dents et dit tout bas : « Il faut que Kîkala obéisse comme un enfant ! » Et tout haut :

« Mon bon vieux chauve, obéis, sinon ton caïlcédrat deviendra un bûcher et tu y rôtiras. »

Kîkala le Vieux Vautour se sentit comme pris de vertige. Une chaleur étouffante lui monta à la tête. Il s'écria :

« Desserre tes dents, Petit Bodiel ! Rengaine ton

---

1. Les ouvertures du corps sont appelées « portes ». La porte orientale est la bouche, la porte occidentale l'anus.

gris-gris ! Je suis d'accord, d'accord ! Je vois que ta mère, pour te mettre au monde, a été saillie par un diable au lieu d'un Bodiel mâle de garenne ! »

Une fois délivré des sortilèges du gris-gris, Kîkala promit de transporter Petit Bodiel. Il pencha la tête, une fois à droite une fois à gauche, en regardant de bas en haut. C'était sa façon astronomique de mesurer la distance qui sépare la terre du ciel.

Petit Bodiel, sentant le Vieux Vautour à sa merci, devint plus arrogant. Il lui cria sans ménagement :

« Allons, vieux chauve ! Sors ce que tu as en tête, et surtout garde-toi de dire ce qui serait contraire à mon attente ! »

Méprisant, Kîkala répliqua :

« Je peux te faire avaler la mort d'une gorgée. Je ne le ferai point par respect pour le pacte qui me lie à tous les esprits serviteurs du gris-gris que tu tiens de mon commensal en initiation, notre supérieur Yendou l'Oryctérope.

— Au nom de ce gris-gris, je te conjure, Kîkala Doutai, de me dire le fond de ta pensée.

— Eh bien, Petit Bodiel, je ne puis te véhiculer que jusqu'au premier étage du ciel. Mon atmosphère s'arrête là.

— Mène-moi à cet endroit du ciel, nous serons quittes. »

Vieux Vautour vint s'aplatir aux pieds de Petit Bodiel, tout comme une cane en chaleur qui sollicite les faveurs de son mâle. Il dit :

« Monte, car je ne suis plus qu'une monture docile vouée à tes services.

— Excuse ma rudesse impolie, dit Petit Bodiel, car je suis né malheureux. Mon enfance et ma jeunesse pesèrent d'un poids lourd. La fureur avec laquelle les gens médisaient de moi ont rendu ma mère moribonde. Et moi, le plus malheureux des enfants, je suis un aigri. »

Vieux Vautour pardonna. Et il s'envola dans les airs. Il pénétra dans la plaine dite « Ecorces de nuages ». Il y évolua avec l'aisance et l'adresse d'un voilier bien piloté. Il émergea des filaments de particules d'eau solidifiées entre terre et ciel, sans entrechats ni chavirements.

Il pénétra alors dans la plaine des « Pures Voiles blanchâtres ». Petit Bodiel put contempler une multitude de Mares de lumière, pareilles aux grands carrés blancs dont se drapent les femmes sages et les filles innocentes aux pays pieux du soleil levant.

Kîkala le Vieux Vautour franchit ce lieu avec une grande rapidité. Il ne donna pas à Petit Bodiel le temps de bien étudier la raison de tant de nimbes fluides.

Dans la plaine dite « Plaine de moutons », les flocons de nuages faisaient des rides qui rendaient le vol difficile et cahoteux.

Ainsi nos deux voyageurs, le chevauché et le chevauchant, traversèrent-ils à la suite douze plaines de nuages variés et autant de dépressions célestes.

Brusquement, Kîkala Doutal le Vieux Vautour n'avança plus que péniblement. Il battait de l'aile... il allait tomber... Catastrophe !

Petit Bodiel prit son gris-gris sauveur entre les dents. Il invoqua les forces. Aussitôt un gros « Paquet de fumée » s'éleva on ne sait d'où. Il monta vers les tombants. Il les enveloppa. Mais hélas, si le gros Paquet de fumée fut un filet solide pour retenir Petit Bodiel, ce ne fut qu'un panier percé pour Kîkala le Vieux Vautour ! Le vieil oiseau continua sa chute verticale vers la terre. Seul Allawalam pourrait dire s'il s'y est rompu en pièces détachées ou s'il s'y est posé en pièces soudées et en douceur.

Le tort de Vieux Vautour fut d'avoir dépassé le premier étage céleste. Et pourtant, il ne l'avait fait que de la longueur de la phalangette d'un bébé guenon d'un jour. Cela avait suffi pour qu'il fût éjecté par les forces gardiennes des limites.

Nul ne peut impunément se permettre d'aller d'un ciel à l'autre sans y être appelé et guidé par une force cicérone, une force qui vous dirige.

La fumée monta, monta sans s'arrêter jusqu'à la calotte du deuxième étage céleste. Subitement, elle se mit à se dissoudre. Elle aussi, sans faire attention, avait pénétré dans la sphère du troisième étage de la longueur d'une phalangette du petit doigt d'un bébé guenon d'un jour. Que les êtres peuvent être distraits !...

Ce que voyant, Petit Bodiel se mit à mordre rageusement dans son gris-gris. Aussitôt une grande lumière déchira la nue. Elle se déversa vers Petit Bodiel. Heureusement pour lui, celui-ci n'avait plus une goutte de peur ni d'inquiétude. Il n'en avait ni dans le cerveau ni dans les veines. Aussi sauta-t-il promptement dans le faisceau de lueurs que le flux de lumière venait de former et de disposer si providentiellement à portée de son saut.

Petit Bodiel se trouva à califourchon sur un rayon blanc en forme de comète, muni d'une queue aux couleurs de l'arc-en-ciel. Bien assis dans la lumière ascendante, il se mit à chanter :

> *L'imprudence de Vieux Vautour*
> *allait me coûter la vie,*
> *elle allait me précipiter dans l'abîme.*
> *C'est Vautour qui y tomba.*
> *Il y tomba seul, la tête en avant.*
> *Son corps transperça les flots des ténèbres.*
> *Est-il parmi les vivants ? Parmi les trépassés ?*
> *Allawalam est le plus savant...*
> *Quant à moi j'ai crié,*
> *la fumée est venue à mon secours.*

Je l'ai chevauchée.
Elle fit le cerf-volant.
Mon poids ne brisa pas sa carcasse légère.
Mais la fumée elle aussi dépassa
les limites de sa sphère.
Ce qui arriva au Vautour point ne l'épargna.
Elle fondit comme neige.
Plus que de la neige,
elle fondit comme un mirage.
Mon âme, qui vivait de maux sur la terre,
vivra désormais de lumière dans les cieux !

Au mot « lumière », Petit Bodiel se trouva déposé devant une entrée lumineuse. Sa voûte en archivolte était ornée de sept bandeaux peints en couleurs variées.

La lumière qui avait véhiculé Petit Bodiel s'évanouit devant les lumières multicolores de l'entrée du troisième étage du ciel. Là est le foyer de la Puissance sans bornes d'Allawalam l'Inaccessible...

D'instinct, Petit Bodiel frappa trois coups à ce qui semblait être un battant de porte. Un petit coup pour les minéraux, un coup moyen pour les végétaux et un grand coup pour les animaux.

« Qui va là ? » s'écria une voix.

Sans tonner, elle faisait tout de même si peur que le plus brave en aurait eu froid dans les os. Mais Petit Bodiel n'eut pas peur. Il répondit d'une voix claire et posée :

« Je suis un être minuscule de la petite terre égarée dans l'espace comme une chèvre perdue dans un désert de dunes mouvantes. J'appartiens à la race des terrassiers oreillards, de la tribu des lièvres rongeurs. Comme mon père et ma mère, j'ai pour nom de famille Bodiel. Nous n'avons pas de prénom. Mon sobriquet est Koumba Keleeté, "Koumba le Rusé".

— Qui cherches-tu ? interrogea la voix.

— Je viens rendre une visite respectueuse à Allawalam. Je viens lui présenter une revendication de bon
aloi.

— Quelle est ta doléance ?

— Es-tu Allawalam ?

— Une question n'est pas la réponse à une question,
mais une complication du dialogue, dont elle détourne
le cours droit en méandre. »

Petit Bodiel répondit :

« Mon père est mort. Ma mère est sans ressources et
sans forces. L'âge pèse sur ses membres au point de
les faire trembler. La mort a pris ma mère en filature.
Elle n'aura de cesse que le jour où elle la fera trépasser.
Je viens demander de la ruse à Allawalam, afin de
venir en aide à ma mère avant son trépas.

« Maintenant que j'ai répondu à ta question, belle et
grave voix, dis-moi si je suis à la bonne adresse, chez
Allawalam ? Ma mère m'a dit que c'est lui qui m'a
créé et fait de moi un dégoûtant petit pisseur dans sa
couche.

« C'est lui qui créa mon bon vieil ami Yendou
l'Oryctérope. Il lui donna un groin et de grandes
oreilles, mais aussi la science d'excellents gris-gris.
Avec sa queue charnue à la base et dont l'extrémité est
pointue comme une pique, Yendou le fourmilier
déterre les secrets du sein de la terre.

— Oui, petit oreillard de la famille des rongeurs !
Tu es bien à la porte par laquelle coule la Miséricorde
d'Allawalam.

— Puis-je formuler d'ici des vœux à son intention ?
Les entendra-t-il ?

— Bien sûr, Petit Bodiel ! Formule-les.

— Allawalam, je suis venu avec, caché dans mon
cœur, le désir d'être rusé. Ne me laisse pas retourner
sur terre sans emplir mon esprit de la ruse fine, extraite
des meilleures mines de ton omniscience. Ouvre-moi

les portes de la Demeure de la ruse contrôlée. Daigne que j'y entre et m'abreuve à sa source limpide et abondante.

« Allawalam, prête une oreille compatissante et complaisante à ma demande de ruse ! Ma mère fut jusqu'ici malheureuse de me voir naître vaurien. Mon père en est mort de chagrin. C'est dire combien je suis misérable et malheureux.

« Allawalam, donne-moi une ruse sans alliage ! Que je devienne plus rusé que les fils d'Adam et des animaux ! Enfin, que je sois plus rusé que la ruse elle-même !...

— Petit Bodiel, es-tu fils légitime de tes parents également Bodiel ?

— Oui, Allawalam ! Je suis fils légitime. Mon père et ma mère ont été régulièrement unis. C'est notre officiant orang-outang qui a noué leur mariage. Il en fit un gros enlacement bien serré. Au prix des mille indispositions que compte un voyage dans la jungle, le gros homme des bois a expressément affronté les étapes Orient-Occident pour venir bénir les mariés qui devaient me mettre au monde. Il a copieusement craché sur leur crâne et dans les paumes incurvées de leurs mains [1].

— A quoi emploieras-tu la ruse que tu demandes ?

— Ma mère veut que je travaille. Or Allawalam m'a oublié, ou tout au moins négligé, quand il distribuait aux animaux de la vigueur de membres. Je fais partie de ceux dont les forces sont inexistantes. J'en suis tari, tout desséché ! Cet état accable ma mère. Elle en pleure le jour et ne s'en console point la nuit. Elle a

1. La salive, en Afrique traditionnelle comme en Islam, est considérée comme chargée de la puissance spirituelle des paroles prononcées. Elle accompagne donc souvent les gestes de bénédiction ou les rites de guérison.

maudit à la face du soleil le jour de ma conception et à la face de la lune et des étoiles l'heure fatidique de ma mise au monde.

« La richesse et les pouvoirs élèvent les cœurs. Or, la ruse est un piège perfectionné pour les capturer sur la terre que nous habitons.

« Ma mère m'a donné un délai d'une lune, diminuée d'une nuit et de deux journées, pour changer. Si ce délai passe sans que j'aie changé, ma mère ne sera plus ma mère !

« Voix ! A qui que tu appartiennes, dis à Allawalam d'avoir pitié de moi et de me donner un chef-d'œuvre de ruse, une ruse qui assaisonnera mes mensonges à les rendre plus mélodieux aux oreilles de mes victimes qu'un luth accompagné de la jeune et douce voix d'une jouvencelle experte en harmonie.

« Seule la ruse pourra guérir le mal de paresse dont mes membres sont affectés. Voix charitable, dis à Allawalam que

le temps presse,
ma mère sera implacable.
Il faut qu'Allawalam
soit magnanime et diligent,
sinon je suis perdu sans recours,
pour le toujours des toujours. »

Une douce brise fredonna un air frais dont les ornements sont inconnus des Terriens, qu'ils soient volants, pédestres ou nageurs. La douceur de cette voix aérienne fit taire la voix caverneuse qui s'entretenait avec Petit Bodiel et le tenait en haleine. La roulade de voix de la brise, qui n'était qu'un tremblement continu, se fit intelligible. Elle dit :

« Petit Bodiel, j'assécherai tes larmes. Je vais te donner sur l'heure et à l'instant une ruse mâle [1]. Toutes les autres ruses, même celles que Satan a volées au ciel, seront de maigres ruses, des ruses femelles que la tienne saillira à volonté.

— Louange à toi, Allawalam ! Tu viens de sauver mon bonheur ! »

La voix dit :

« Petit Bodiel ! Retourne sur la terre avec, dans ta tête, le plus grand chef-d'œuvre de ruse neuve, capable de limer toutes les autres ruses. Les ruses des Rois, qui asservissent leurs semblables en leur faisant croire qu'ils les défendront contre la misère et le malheur, ne seront plus que des avortons de ruses, tout juste bonnes pour la cour découverte des affaires. »

En entendant ces paroles censées émaner d'Allawalam lui-même, le cœur de Petit Bodiel se dilata de joie. Et bien qu'il ne fût qu'un mineur que quelques lunes encore séparaient de sa majorité, son cerveau devint plus solide que celui d'un adulte de plusieurs milliers d'années d'expérience en roueries.

Quand Allawalam éleva ainsi Petit Bodiel à la dignité de « Maître des Ruses », celui-ci devint si rusé que les artifices du ciel se cachèrent pour ne pas le rencontrer. Ils redoutaient d'être roulés par le nouveau Grand Maître des Ruses...

Petit Bodiel, ex-cul de plomb, visita tous les coins du troisième étage du ciel, puis il se prépara à redescendre sur la terre. Pour monter, il s'était servi de Kîkala Doutal le Vieux Vautour, du Paquet de fumée et du Rayon de lumière. Mais quel serait son véhicule pour descendre ?

---

1. Une qualité mâle est une qualité forte, qui prédomine sur les autres.

Petit Bodiel ne devait point rester longtemps embarrassé. Son gris-gris ! Oui, bien sûr, son gris-gris ! Il le serra entre ses dents. Le gris-gris déclencha son cerveau. Celui-ci regorgea alors d'intelligence et de ruse pour plusieurs milliers d'années de travail. La mise en marche de son nouvel appareil cérébral nécessita un effort plus considérable que de coutume, mais le cerveau de Petit Bodiel finit par fonctionner à plein rendement.

Contrairement à ce qui a lieu d'ordinaire lorsqu'on déploie une grande activité, au lieu de suer à grosses gouttes, Petit Bodiel se mit à produire de la suie par tous les pores de sa peau, comme un furoncle dégage du pus. Sous l'accumulation de cette suie, il se sentit lesté petit à petit, et finalement il pesa si lourd qu'il creva le toit du troisième étage du ciel. Son corps roula dans l'espace avec le poids d'un obus lancé à la vitesse d'un bolide.

Petit Bodiel pensa un moment qu'il était tombé dans le traquenard de quelques méchants diables tapis dans les recoins du ciel. Il était en train d'approfondir cette pensée quand il tomba, à la manière d'un météorite pierreux, dans un immense lac peuplé de poissons en forme de demi-lune.

« Où suis-je ? » questionna-t-il, une fois remonté de la profondeur où l'avait précipité son poids. Une voix répondit :

« Nous sommes un peuple aquatique du deuxième ciel. On nous nomme Ndiyam-Leydi : " Eau-Terre ". Allawalam nous a dotés d'un moyen secret qui nous permet de vivre une partie de l'année dans l'eau et l'autre partie dans la vase.

« Nous sommes chargés de piloter les nuages qui viennent s'abreuver ici. C'est également nous qui crevons l'estomac des mêmes nuages pour que se répande en pluie, là où il faut, l'eau qu'ils contiennent. Cette pluie nous sert de véhicule pour atterrir en douceur dans les marais où nous nous reproduisons.

« Quand l'eau est asséchée, notre corps – c'est là le grand secret de notre existence – sue une substance visqueuse qui finit par l'envelopper. Ainsi protégés, nous vivons de longues lunes chaudes dans la vase, comme nous avons vécu dans l'eau tempérée. »

Petit Bodiel comprit, sans avoir trop à réfléchir, que si Vautour, Fumée et Feu remontent vers le ciel, en revanche l'Eau, emblème de la Miséricorde, scelle en elle le secret de la vie et est par excellence l'élément descendant. Elle est donc le véhicule Ciel-Terre.

Petit Bodiel se lia d'amitié avec le Roi des poissons Eau-Terre. Il réussit à se faire engager dans leurs légions. En tant qu'ami du Roi, il fut versé dans la première cohorte chargée du pilotage difficile de Waabili, la grande caravane de gros nuages noirs précédés de tonnerre chargé d'éclairs, et qui a pour mission de déverser sur la terre morte de soif la première pluie de l'année.

Le gris-gris de Petit Bodiel lui suggéra de demander le commandement de la section chargée de verser son eau dans le fleuve.

Waabili s'ébranla. Elle éclata en une rafale qui ne dura qu'un petit moment, mais suffisant pour tout mettre en désordre sur la terre. Tous les êtres vivants se garèrent. La colonne d'eau tourbillonna. Elle tomba en grosses gouttes rapides, d'abord espacées comme des combattants allant à l'assaut d'une forteresse, puis fines et serrées comme des grains de sable.

Petit Bodiel arriva à terre avec le « ventre » de son armée vertigineuse – autrement dit son centre [1]. Il chuta dans la mare Andi-Yari. C'est dans cette mare que les

---

1. Chez les Peuls, le centre d'une armée s'appelle *reedou*, le ventre.

plus industrieuses des bêtes sauvages viennent boire une fois par an pour recharger leur sac à malice.

*

Petit Bodiel était redevenu un habitant de la terre. La terre serait désormais son champ d'action, il y planterait les graines des roueries rénovées qui emplissent son cerveau.

Il chercha quelqu'un auprès de qui s'informer de l'état des choses sur la terre depuis son départ. Il n'aperçut qu'un animal bizarre, inconnu de lui car il venait d'être créé depuis tout juste une lunc dc temps plus une phalange, une phalangine, une phalangette et deux clins d'œil. Cet animal n'existait pas auparavant sur la terre – la preuve en est qu'il ne figure dans aucune nomenclature des bêtes des villes ni des champs.

Pour se garantir contre cet être si neuf qu'il n'avait pas encore subi sa première toilette ni craché à terre sa première salive, Petit Bodiel prit son gris-gris entre les dents. Il s'écria, à l'intention de l'animal insolite :

« Ehééé !... Toi, là-bas ! Vite, viens ici ! Je suis El Hadj Koumba Keleeté [1]. Je reviens du troisième ciel. C'est dans ce haut lieu que réside la "Miséricorde cornue [2]" d'Allawalam. Le génie Aljouma surveille le lieu. Il est doté de cinq têtes, sept bras, neuf oreilles et un pied.

« En vertu des pouvoirs de mon gris-gris, confirmés par les pouvoirs haut-haut d'Allawalam, je te somme,

1. *Koumba Keleeté* : sobriquet peul pour désigner le lièvre. *El Hadj* est le titre honorifique et pieux donné aux musulmans qui reviennent du Pèlerinage.
2. « Cornue » : indication de force et de noblesse ; c'est la Miséricorde par excellence.

ô animal étranger et tout neuf, de me dire qui tu es et comment on t'appelle, de décliner tes nom, prénom, pseudonyme et sobriquet, et cela sans tarder ni tergiverser !

— Je suis "Kala-Renti-Tout-Mélangé". J'appartiens à la grande race des Mélangés. J'ai des mamelles, mais je suis pondeur d'œufs que je couve. J'allaite mes poussins après leur éclosion. J'ai un bec cornu et un pelage épineux. Je vis de fourmis et de termites. On m'a prénommé Kala-Renti. Je n'ai point de nom parce que...

— Assez comme ça ! Je vois qui tu es. Mais dis-moi comment s'appelle ta mère.

— Elle s'appelle Tchedow, Femme légère.

— Et ton père ?

— De grâce, El Hadj Koumba Keleeté, ne me torture pas davantage avec la question de père ! J'ai failli ne pas avoir de mère, et tu veux m'embêter avec le luxe d'un père !

— Je vois, fit Petit Bodiel. Tu es chèvre, poule, canard, porc-épic. Il ne te manque plus que d'être cochon, lion et panthère. Tu es tout sans être rien. D'ailleurs ton nom, "Kala-Renti-Tout-Mélangé", dit éloquemment quel animal complexe tu es.

« En outre, il y a ce que tu as, mais que tu caches. Ta "porte occidentale" est percée d'un cloaque. C'est un orifice unique, diamétralement opposé à ta "porte orientale". Si tu ne voulais pas de ces expressions voilées et polies, en termes vulgaires je dirais : ton anus et ta bouche, et en parler polisson je dirais ton suçoir[1].

« Moi, Petit Bodiel, je faisais pipi dans ma couche. L'atmosphère de ma chambrée était... tu devines ma pensée. C'est pour te dire que je comprends la gêne

1. Terme populaire quelque peu argotique pour désigner la bouche.

dans laquelle tu vis par le fait de la complexité de cette partie de ton corps. Que tes tuyaux urinaires, tes canaux intestinaux, tes voies génitales aboutissent tous à une même rigole d'évacuation... ce ne peut être qu'odoriférant. Alors sauve qui peut !

« Mais venons-en à ma proposition. Tu vas épier les allées et venues de l'éléphant, et aussi de l'hippopotame. Tu viendras toujours me dire où ils sont exactement. En reconnaissance de tes services, je demanderai à Allawalam, dont je suis le Représentant mandaté et même patenté sur la terre, d'envisager une révision des incommodes anomalies congénitales de ton corps. Il faut que tu deviennes un nouvel animal, avec un nom nouveau et un statut clair. »

Pendant que Petit Bodiel faisait ainsi marcher Kala-Renti, le petit singe Mandrill, avec son litham facial [1] bleu et rouge, pinçait les cordes de sa guitare. Il jouait, pour la circonstance, un air de moquerie. Il riait à en contracter son ventre et sa figure enlaidie par la forme de sa bouche mal bâclée.

Kala-Renti, élevé par Petit Bodiel au triste grade d'Espion des « deux gros gibiers » qu'étaient l'hippopotame et l'éléphant, partit en mission. Quant à Petit Bodiel, il alla se coucher sur le dos sous un grand balanza dont la frondaison formait un immense parapluie.

En attendant le retour de son émissaire, Petit Bodiel se mit à deviser avec lui-même. Il levait et abaissait tour à tour ses quatre pattes comme s'il prenait le ciel à témoin ou s'applaudissait lui-même.

« Il faut, se disait-il, que je fasse travailler, et à merci, les deux plus "grosses viandes" de mon pays. Je leur apprendrai que la valeur des animaux ne réside

1. Voile facial.

pas dans leur envergure physique et moins encore dans leur poids, mais bien dans la force de leur intelligence. C'est cette dernière faculté qui, en eux, se développe et crée. C'est elle la parcelle qu'Allawalam a logée en eux pour leur permettre de se perfectionner et de réaliser leur destinée. »

Pendant ce temps, Kala-Renti avait repéré et l'hippopotame et l'éléphant. Il vint en informer Petit Bodiel. Celui-ci s'en fut trouver l'hippopotame :

« Bonjour, Oncle Hippopotame ! Allawalam, que j'ai rencontré il y a trois jours, m'a chargé d'une commission pour toi. Il te salue "bien bon" et te fait savoir par moi sa satisfaction totale de ta manière de brouter l'herbe et de patauger dans les marais.

— Où as-tu rencontré la voix d'Allawalam, petit menteur aux lèvres en rasoir[1], fainéant de sa mère, maudit de son père !... »

Au lieu de se fâcher, Petit Bodiel répondit avec assurance :

« Oui, je suis tout cela, et en plus je suis rongeur et fils de rongeur. Il n'empêche que j'ai rencontré la voix d'Allawalam au troisième ciel. Sache, Oncle Hippopotame, qu'Allawalam n'a que faire ni de notre force, ni de notre naissance. Ce sont là des états éphémères et transitoires qui n'influencent pas ses décisions. Il reçoit qui il veut. Il peut mettre la force de la baleine dans les annelets d'un lombric. Il couronne qui il veut. C'est ainsi qu'il m'a reçu et doté d'une grande force physique et d'une puissance magique qui peut faire bouger les montagnes et fondre le sable. Je n'ai plus peur de me mesurer à aucune grosse viande, même à toi, ô Poutchoundiyam-Cheval d'eau, ni à Oncle Éléphant,

---

1. « Menteur aux lèvres en rasoir » ou « en canif » signifie un fieffé menteur.

animal de bât de la Reine des Génies, ni à la Baleine[1], cette tombe mobile d'un Envoyé d'Allawalam.

« Je viens te proposer, pour éprouver ma force, de cultiver avec moi un champ de céréales. Étant donné ta qualité de noctambule, tu travailleras la nuit, du coucher au lever du soleil, et moi je travaillerai le jour, du lever au coucher du même soleil. Nous partagerons la récolte. Si tu acceptes ma proposition, je te soufflerai un secret te concernant, que j'ai surpris au ciel. »

L'hippopotame dit :

« Accepté sans refus ! »

Petit Bodiel reprit :

« Allawalam a envisagé la modification de la sculpture de tes lèvres et de la forme de ta tête, de manière que cette dernière soit aussi jolie que celle du Cheval-Génie pur sang des océans[2].

« En ma présence, Allawalam a entrepris la modification de certains nez et têtes mal formés. Il a même fini de remodeler la tête du Poisson-Cheval. A cause de la laideur de sa tête, le pauvre vivait caché dans les algues pour échapper à la moquerie acerbe des autres poissons peu charitables. »

L'hippopotame hennit de joie et dit :

« Je voudrais qu'Allawalam me donne des lèvres moins épaisses, un nez moins épaté et surtout des oreilles mieux proportionnées à ma taille, pour mieux souligner mon envergure. »

Petit Bodiel s'écria :

« Oui, Hippopotame ! Allawalam n'a rien à me refuser. J'intercéderai en ta faveur. Tu seras parmi les premiers servis. En plus de ce que tu as demandé, tu auras – c'est moi qui vais le demander pour toi – une peau

---

1. Littéralement *liinga-yuunus* (« tombe de Jonas »).
2. Dans les contes, l'hippopotame est toujours jaloux du cheval.

aussi lisse que celle de la biche des dunes sablonneuses. Et elle n'en sera pas moins aussi dure que du fer trempé.

« Tu auras également une queue préhensile pour saisir et punir les impertinents konkon, korokoro et poliyo, ces fretins qui se plaisent à te pincer les fesses pour te taquiner. Oh, je sais, les enfants du siècle sont polissons ! »

L'hippopotame hennit encore de plaisir, mais cette fois-ci pour s'enfoncer dans les flots. « Accepté ! Accepté ! disait-il. Je commencerai mon travail demain au coucher du soleil, c'est promis à la manière des fils d'Adam nobles ! »

Petit Bodiel frotta ses pattes antérieures l'une contre l'autre, en signe de satisfaction... Il avait défoncé la pupille de sa cible ! Il avait fait mouche !

Il se dit à lui-même : « Ne perdons pas un clignement de paupières. Nous nous sommes fait la main. Pendant qu'elle est encore chaude, allons vite trouver un partenaire à cette grosse viande aux lèvres aussi charnues qu'une cuisse de mouton de case à sa troisième année d'engraissement. »

Sur l'heure, Petit Bodiel s'en fut trouver Oncle Éléphant. C'était un vieil éléphant, devenu solitaire depuis la mort de sa femelle tuée au cours d'une battue organisée par les belliqueux fils d'Adam, ces grands tueurs !

« Bonjour, Oncle Éléphant !

— Bonjour, Petit Bodiel ! D'où viens-tu comme ça, et où t'en vas-tu ? s'informa machinalement le vieux solitaire.

— Je viens de chez Allawalam. Il m'a chargé de te porter son salut et de témoigner de la grande marque de sa sollicitude pour toi.

— Le salut de qui ?... barrit l'éléphant.

— Le salut d'Allawalam ! insista Petit Bodiel, avec une assurance qui fit perdre à l'éléphant son aplomb.

— Et comment as-tu fait, Petit Bodiel, pour escalader le ciel ?

— J'ai utilisé les ailes de Vieux Vautour, l'épaisseur d'un Paquet de fumée, et finalement un Rayon de lumière. C'est Rayon de lumière qui m'a déposé au seuil où j'ai perçu de mes oreilles, comme mes yeux te voient en ce moment, la voix qui me parla au nom d'Allawalam. Je crois bien que c'était la voix d'Allawalam. Elle était grave, mélodieuse, en même temps terrifiante à épouvanter et douce à bercer un enfant énervé. Elle avait à la fois du chaud et du frais, mêlés à une mélodie inouïe qui ferait verser des larmes même à Ngoudda, le méchant crocodile à la queue écourtée !

— Pourquoi es-tu allé jusque chez Allawalam ? questionna l'éléphant ahuri.

— Pour lui demander de la force physique et de l'intelligence.

— Et qu'en est-il advenu ?

— Allawalam a été très large pour moi. Il s'est servi d'une trompe spéciale pour souffler dans mes pores des paroles-forces. Et depuis, il ne tient qu'à moi de déraciner les plus gros arbres. D'ailleurs, c'est pour me mettre à l'épreuve que je viens te proposer de cultiver un champ en compétition avec moi. Ainsi tu te rendras compte par toi-même qu'Allawalam ne m'a point leurré.

« Si tu acceptes ma proposition, toi tu travailleras le jour et moi la nuit, parce que ma moelle ne se charge de force que par la lumière de la lune ou des étoiles, et à défaut des deux par l'obscurité de la nuit. Nous partagerons la récolte. En plus, j'invoquerai notre association pour plaider ta cause auprès d'Allawalam. Il m'écoutera. Il n'a plus rien à me refuser.

— Pour obtenir ou sauvegarder quoi ? demanda l'éléphant.

— En effet, je te dois à titre confidentiel une information que j'allais étourdiment oublier : Allawalam a envisagé, lors de l'apparition du dernier halo solaire, de procéder à la réforme de certaines parties corporelles disgracieuses des vertébrés de la terre. Tu es cité nommément pour la diminution du volume et du poids de tes incisives supérieures, la modification des pavillons de tes oreilles, le raffinement de ta peau, et je crois aussi qu'il est question de ta trompe. On la voudrait plus souple, plus préhensile et moins rugueuse.

« Il va sans dire que tout cela ne sera entrepris qu'après les prochaines récoltes de céréales. La saison des pluies se prête mal aux travaux envisagés. Les plaies pourrissent vite quand il pleut. »

L'éléphant, émerveillé et transporté, en vint aux confidences. Il demanda doucement à Petit Bodiel :

« Est-ce qu'Allawalam a envisagé quelques modifications dans le corps de mon cousin l'Éléphant de mer ?

— Oui. Quand j'étais dans les galeries des forges d'Allawalam, j'ai ouï des ouvriers dire qu'il allait falloir allonger un peu plus le cou de ton cousin et ajouter au pavillon de ses oreilles ce qu'on diminuera des tiennes. Mais en revanche – et c'est là où je ferai jouer mes relations en ta faveur – on préconise de diminuer la fourrure du mouton à laine pour t'en couvrir le corps. Ainsi ta peau sera plus douce au toucher et ta future compagne en sera enchantée.

— Ma future compagne ! s'exclama le vieil éléphant.

— Bien sûr ! Allawalam prépare une demoiselle éléphant pour réchauffer tes vieux jours. Et elle exige une peau lisse. »

Comme Petit Bodiel, tout en parlant, n'oubliait jamais de mordre dans son gris-gris, l'éléphant se trouva ensorcelé. Il accepta tout le dire de Petit Bodiel, les yeux grandement ouverts et la trompe en l'air, comme s'il jurait allégeance à son Roi.

Au lever du soleil, Oncle Éléphant se mit au travail en chantant.

Sa trompe était une défricheuse merveilleuse. Il ne ménagea rien de ses forces. Il se mit à arracher rageusement arbres, herbes et herbacées. Il laboura une bien grande surface entre le lever et le coucher du soleil. Il essuya sa sueur et rentra chez lui.

Quand la température des eaux du fleuve baissa, Hippopotame sut que le soleil avait rétracté ses flammes à la manière dont les félins rentrent leurs griffes. Il remonta des profondeurs en déplaçant une lourde charge d'eau qui créa des vagues, lesquelles allèrent se briser contre la berge qu'elles dégradèrent une fois de plus.

Oncle Hippopotame, tout en soufflant l'air de ses poumons, remonta sur la rive après s'être empêtré plusieurs fois dans la vase qui en tapissait le bord. Quelle ne fut pas sa surprise quand il vit, étendue à perte de vue, la surface cultivée qu'il crut être le fruit d'une journée de labeur de Petit Bodiel !

« Vraiment ! Il faut qu'Allawalam lui-même ait prêté son bras à Petit Bodiel pour qu'il abatte tant de travail en une journée ! Mais si Petit Bodiel a reçu d'Allawalam une grande force physique, Allawalam ne m'en a pas frustré totalement. Je le prouverai à la tâche. »

Avec acharnement, et mû par le désir d'épater Petit Bodiel, Hippopotame se mit à l'ouvrage. Il arracha, défricha, piocha si bien et si profondément qu'il faillit mettre les entrailles stériles de la terre à fleur de ses lèvres.

Le lendemain, l'éléphant revint. Il constata qu'il avait affaire à un partenaire redoutable. Il se demanda si des esprits nocturnes n'aidaient pas Petit Bodiel – il se ravisa en se rappelant qu'Allawalam avait soufflé de la force dans sa moelle.

En quelques jours, un immense champ de céréales, ou « lougan », était admirablement préparé. L'éléphant était satisfait de sa collaboration avec Petit Bodiel. L'hippopotame ne tarissait pas d'éloges pour son nouvel associé.

Petit Bodiel, lui, ne cessait de se tordre de rire pour avoir ainsi roulé les deux plus grosses viandes de la brousse : le lourd éléphant et le massif hippopotame. Il serra son gris-gris entre les dents : « Allawalam ! Allawalam !... Il faut que ça dure jusqu'au bout, sans faille ni amoindrissement... »

Pour le moment, seul Baba-Honioldou le Limaçon, enroulé dans sa case en spirale, avait une parfaite connaissance de la scène. Il voulut éventer le secret à son voisin Mabéré, le petit oiseau granivore. Mais Mabéré, trop fier de son dos brun et de sa poitrine rouge, au lieu d'écouter les autres, s'étourdissait dans les branches à force de s'écouter chanter ses propres louanges. Il était sourd à toutes paroles et musiques autres que les siennes propres.

Ainsi allèrent les affaires d'Oncle Éléphant, Oncle Hippopotame et Petit Bodiel jusqu'à la récolte.

Les épis de mil et de maïs, les gousses d'arachide et de haricots furent ramassés et rassemblés en tas. Quand la récolte fut totalement réunie, Petit Bodiel se dit : « Ce n'est pas tout d'avoir fait trimer ces deux grosses viandes. Encore faut-il que leur travail ne leur revienne pas et que je me l'approprie. Je prendrai tout ! Je ne leur laisserai que des yeux rouges pour pleurer leur peine perdue ! »

Petit Bodiel mordit dans son gris-gris. Son gris-gris rendit son cerveau docile et fertile. Il lui fit faire du bon travail...

Lesté d'une inspiration exempte de toute morale, Petit Bodiel, d'un pied léger, gagna le bord du fleuve. Il y trouva l'hippopotame, les narines à fleur de l'eau.

Il était en train d'engouffrer dans ses poumons une grande provision d'air en vue d'une longue et profonde plongée.

« Bonjour, Oncle Hippopotame ! salua Petit Bodiel. As-tu passé la journée en paix ? demanda-t-il en affectant d'être respectueux.

— En paix, en paix seulement ! répondit l'hippopotame. Et toi, as-tu passé la nuit en paix après les rudes efforts de la journée ?

— Certes oui, Oncle Hippopotame. J'ai passé une excellente nuit. Pour me délasser, ma mère m'a enduit tout le corps d'huile de sésame, et elle m'a massé une bonne partie de la nuit.

— Alors, Petit Bodiel, es-tu content de notre travail en commun ?

— Oui, certainement ! Je le suis on ne peut plus ! A propos de notre récolte, je viens te faire une proposition.

— Quelle est ta proposition, Petit Bodiel ?

— Je voudrais savoir lequel de nous deux est le plus fort. Le travail ne nous a pas suffisamment départagés. Nous avons labouré, semé, sarclé et récolté, sans qu'aucun de nous puisse dire qui a battu l'autre. Ma proposition pourrait te paraître audacieuse, mais tant pis ! Je suis prêt à courir des risques, même plus grands encore, pourvu que je sois irréfutablement fixé.

— Fixé sur quoi ?

— Sur qui est le plus fort de nous deux.

— Et quelle est ta proposition ? Parle sans crainte. Mon oreille est bien disposée pour t'écouter favorablement.

— Voilà. J'ai décidé une joute entre nous deux. Tu resteras au bord du fleuve en tenant le bout d'une corde, et moi j'irai en haute brousse où je tiendrai l'autre bout de la corde. Nous nous tirerons l'un vers l'autre. Le plus fort d'entre nous traînera l'autre, jusque dans l'eau si c'est toi, jusque dans la forêt si c'est moi. Le gagnant gardera toute la récolte. »

Le pari fut conclu. Tous les vertébrés aquatiques furent désignés pour servir de témoins.

Cousin Toncono-Koundal, qui niche dans les roseaux, fut choisi comme arbitre. C'est lui qui devait donner le signal de la compétition. Petit Bodiel, avant de quitter la rive, le regarda du coin de l'œil et dit à son intention :

« Espèce de bec en pelle aplatie ! Je t'en ferai voir du joli... Je te recommanderai non pas à Allawalam, mais aux nuages de poussière que les jouteurs ne manqueront pas de soulever. Tu en seras si saupoudré que la production annuelle en savon de cette année ne suffirait pas à te nettoyer... »

Petit Bodiel donna à Hippopotame le bout d'un câble fait en fibres de baobab mêlées avec d'autres lianes bien solides. Ce gros cordage avait été tissé par toute une colonie d'orangs-outangs, de gorilles et de chimpanzés. Les nœuds du cordage, au nombre de 333, avaient été travaillés par de vieux singes Macaques, venus expressément du Soleil levant pour ce travail d'art de singe.

En montant au ciel, Petit Bodiel avait pu embrasser d'un coup d'œil tous les pays du monde dispersés sur la face de la terre. Il savait où recruter les ouvriers qu'il lui fallait. Il avait un moyen merveilleux et mystérieux d'envoyer sa pensée et de se faire comprendre des destinataires choisis.

Le gris-gris donné par Yendou le Vieil Oryctérope, puis la ruse dont Allawalam l'avait doté abondamment avaient fait de lui le plus grand Kouwôwo, ou « faiseur », de son temps.

Il savait quand, comment et où faire ce qu'il décidait de faire. Aucune heure favorable ne survenait avant de s'être annoncée à Petit Bodiel. De même, aucun moment néfaste ne manquait de se signaler à lui afin qu'il le sût et agisse à temps.

En ayant terminé avec l'oncle « à la lèvre en chair de gigot de mouton » – autre sobriquet de l'hippopotame – Petit Bodiel s'en alla en haute brousse, à la rencontre de l'éléphant.

Le « petit oreillard » ne trouva point le « grand oreillard » dans la prairie où, habituellement, il venait prendre ses repas. Petit Bodiel se mit à courir un peu partout, non sans quelque inquiétude. Il mit longtemps à s'apercevoir qu'il avait oublié de recourir à son merveilleux gris-gris. Aussitôt, voilà le bon gris-gris dans la bouche de Petit Bodiel, placé entre ses « broyeuses » tel un cure-dent.

L'effet merveilleux du talisman ne se fit point attendre. Le cerveau de Petit Bodiel travailla. Il se mit en rapport avec la force du gris-gris. L'idée lui fut suggérée de charger Samba-Djoubbel de retrouver le « grand oreillard ».

Samba-Djoubbel est un oiseau menu dont le crâne est garni d'une huppe érectile faite de barbelures en excroissances cutanées. Il fut très facile à Petit Bodiel de le repérer, son plumage jaune et rouge trahissant sa présence au premier coup d'œil. Il le héla :

« Samba-Djoubbel ! Ohé, volatile habillé comme un prince ! Viens me dire où se trouve le vieil oreillard, père d'incisives pesantes. En récompense, je te recommanderai à Allawalam. Il augmentera ta taille et la beauté de ton vêtement. Il te donnera en outre une compagne affectueuse. Viens vite ! Viens, mon joli, et puisses-tu vivre l'âge d'un crocodile de sable ! »

Samba-Djoubbel, flatté et intéressé, répondit :

« Le vieil oreillard est allé assister une femelle de sa tribu entrée en travail ce matin à l'aube. »

Puis il ajouta :

« Puisque tu es si bien avec Allawalam, il a dû te confier quelques articles du savoir secret... ?

— Certainement, Samba-Djoubbel !

— Eh bien, pour être sûr que tu es véridique, dis-moi, Petit Bodiel, combien dure la gestation de l'Éléphant femelle...

— Vingt et une lunes au minimum et vingt-deux au maximum. »

Convaincu de la science de Petit Bodiel, Samba-Djoubbel se rendit à tire-d'aile auprès du Vieil Éléphant : « Un envoyé spécial d'Allawalam t'attend chez toi », lui dit-il.

Vieil Éléphant se dépêcha vers celui qu'il considérait comme un élu du ciel et qu'il ne fallait ni contrarier ni faire attendre.

« Oncle Éléphant, dit Petit Bodiel, tu allais tarder ! Je suis venu te faire une proposition. » Il répéta alors textuellement ce qu'il avait dit à l'hippopotame.

« Accepté ! » dit l'éléphant.

Sur ce, Petit Bodiel donna l'autre bout du câble que nous connaissons à l'éléphant. Puis il alla se placer à égale distance des deux tireurs, et donna le signal en poussant un grand cri.

L'hippopotame et l'éléphant se mirent à tirer sur le câble qui les unissait, chacun croyant avoir affaire à Petit Bodiel.

Cousin Toncono-Koundal alla se percher sur une branche du grand caïlcédrat pour bien voir qui traînerait son partenaire.

Petit Bodiel, tapi dans un bosquet, criait : « Arioоо ! hoooo ! », et les deux bêtes tiraient à perdre haleine. Le câble était aussi solide que du fil de fer forgé par Dawda (David), le Patron des forges [1].

---

1. La Tradition considère le Prophète David (Dawda) comme le patron des forges et des forgerons.

L'hippopotame, calé contre les berges du fleuve, et l'éléphant fixé derrière un monticule de granit tirèrent si fort qu'ils réduisirent en terre rase berges et monticules. A force d'aller et de revenir en se roulant et enroulant tout sur son passage, le câble se fraya une route large de six coudées.

La lutte dura jusqu'au moment où le soleil atteignit le milieu du ciel. Chacun des deux compétiteurs finit par se demander s'il avait vraiment affaire à Petit Bodiel. Pour en avoir le cœur net, ils eurent la même idée : y aller voir !

Ils marchèrent l'un vers l'autre. Finalement, Éléphant et Hippopotame se trouvèrent longue trompe contre lèvres lippues. Ils s'écrièrent :

« Est-ce à toi que j'avais affaire, alors que je croyais m'escrimer contre ce galopin de Petit Bodiel ? »

Les deux grosses bêtes s'expliquèrent leur mésaventure. Ils s'en mordirent la patte de dépit !

« Allons ramasser notre récolte, fruit de notre peine. Nous aurons cela pour nous consoler... »

Hélas ! Ils trouvèrent une fois de plus que le petit industrieux les avait roulés. Il avait emporté toute la récolte dans une cachette sûre que les deux « grosses viandes » ne trouvèrent pas.

Les deux victimes se concertèrent. Elles décidèrent que Petit Bodiel ne brouterait plus l'herbe de la prairie, ni ne boirait au fleuve, sous peine d'être tué sans pitié ! Tous les animaux marchants, rampants, volants et nageants furent avertis de la décision prise par les deux grands maîtres des zones inondées et exondées.

Partout on ne parlait plus que de la ruse malicieuse dont Petit Bodiel avait usé pour faire travailler les deux lourdauds de la jungle. Des becs de toutes formes et dimensions, des gueules et museaux de tous gabarits, sortaient des cris admiratifs pour Petit Bodiel et moqueurs pour les deux masses à peau épaisse – ce qui n'était point fait pour arranger les choses entre Petit Bodiel et ses deux victimes...

Les deux bernés condamnèrent à mort Petit Bodiel. Force fut pour celui-ci de se cacher. Il ne pouvait plus aller dans la prairie sinon la nuit, ni au fleuve sinon aux moments où l'ardeur des rayons solaires faisait bouillir l'eau et obligeait Hippopotame à s'enfoncer dans les grandes profondeurs des poches d'eau.

Cette vie ne pouvait durer. Il fallait bien que Petit Bodiel, d'une manière ou d'une autre, sortît de l'impasse. Que faire ?

Allawalam et le gris-gris de l'Oryctérope n'étaient-ils pas là pour le tirer de tout mauvais pas, même le plus désespéré ?

Petit Bodiel se mit sur son arrière-train. Il serra son gris-gris entre ses dents, puis il invoqua Allawalam 33 fois un lundi soir et 33 fois dans la journée d'un vendredi. Une grande lumière jaillit du troisième étage céleste et illumina son cerveau, qui se mit à travailler avec une intensité accrue. Petit Bodiel eut alors une inspiration géniale...

Il se procura la peau d'un gros chat de brousse mort de la gale, et en enveloppa son corps. L'odeur de la peau pourrie attira une nuée de mouches.

Ainsi puant et couvert de mouches, il se dirigea vers la prairie surveillée par Oncle Éléphant. Il marchait en inclinant son corps d'un côté plus que de l'autre. Il versait des larmes, il gémissait... Tous les cinq pas il appelait sourdement au secours, broutait péniblement quelques petites herbes...

Il n'était là que depuis un court moment quand Oncle Éléphant apparut, les oreilles déployées en éventail, les défenses en l'air. Il lui cria :

« Allawalam peut tout, mais il ne fera pas que ce soit toi, Petit Bodiel, que je vois ici. Espèce de lapiné conçu un jour sombre et néfaste par un couple maudit !... La chance de vivre peut-elle t'avoir abandonné au point d'ignorer que l'Hippopotame et moi avons arrêté ta mort irrévocable et sommes à l'affût depuis plusieurs lunes pour te forcer et te broyer sans pitié ?

— Ô Oncle Éléphant..., gémit Petit Bodiel.

— Garde-toi de vouloir deviser ! répondit l'Éléphant. Tu n'en auras d'ailleurs pas le temps, car je vais m'emparer de toi et te serrer entre deux branches. Tu mourras entre terre et ciel sans qu'aucune force puisse venir te délivrer. Plus jamais tu ne mystifieras personne sur cette terre !

— Oncle Éléphant ! Prends garde, en voulant punir un fourbe-fripon, d'assassiner une innocente également victime de celui qui t'a dupé.

— Que veux-tu insinuer ? N'es-tu pas Petit Bodiel ?

— Par Dieu, Oncle Éléphant ! Serre-moi entre tes mâchoires ou l'étau que tu voudras et autant de fois que tu le voudras, fais-moi périr de mille morts violentes si le cœur t'en dit, mais de grâce ne prononce pas en ma présence le nom de Petit Bodiel ! Je lui dois l'état dans lequel je me trouve. C'est lui qui m'a ainsi métamorphosé. C'est lui la cause de mon malheur.

« J'étais une belle gazelle des steppes, allaitant allégrement son faon mignon. Voici quelques semaines, j'ai surpris Petit Bodiel en train de paître dans la prairie, alors que l'accès lui en avait été interdit par toi. Je l'ai interpellé. J'ai voulu l'arrêter pour te l'amener.

« Ce que voyant, Petit Bodiel serra un machin diabolique entre ses dents. Il se mit sur son arrière-train. Il leva ses pattes antérieures jusqu'à la hauteur de ses oreilles dressées en pinacles de forteresse. Il s'écria : "O Allawalam ! En vertu de notre convention secrète, ignorée même des esprits gardiens de ton Trône, transforme à l'heure et à l'instant cette gazelle impertinente en un animal mi-chat mi-lièvre ! Pourris sa peau, de telle sorte qu'elle attire sur elle le jour une nuée de mouches et la nuit une nuée de moustiques pour lui sucer le sang et l'agacer sans relâche !"

« Immédiatement, j'entendis mes oreilles bourdonner, puis je perdis connaissance. En me réveillant, je me trouvai métamorphosée telle que tu me vois. Je ne suis plus ni gazelle, ni chat, ni lièvre. Je ne suis qu'un puant sans nom ! »

L'éléphant fut pris de pitié pour la gazelle enchantée. Il éprouva une grande peur à l'idée que Petit Bodiel, par ses sortilèges et avec la connivence du Ciel, pourrait le métamorphoser, lui une chair si massive, en quelque menue tortue de petite mare, s'il essayait de l'attraper.

Oncle Éléphant rabattit les pavillons de ses oreilles. Il ramena sa trompe entre ses membres antérieurs. Il s'écria :

« Pauvre gazelle ! Broute tranquillement, et va en paix ! Et surtout ne donne pas mon adresse à l'enchanteur ! »

Le lendemain, Petit Bodiel se dépouilla de la peau qu'il avait endossée. Il se présenta à visage découvert en chantant ses propres louanges :

En même temps que le soleil,
moi, Bodiel Koumba Keleeté, je me lève.
Comme lui je brille,
j'aveugle l'ennemi qui me regarde,
je brise ses os comme une poterie.
Ma gloire est grande !
Je la tiens d'Allawalam.
Je connais un secret qui peut faire bondir
les monts de leur socle
et les cours d'eau de leur lit.

A la porte du Seigneur je me suis présenté.
Je fus son hôte, il me traita bien.
Il fit de ma langue un fer à feu.

Quand je la cogne contre le silex de mes dents,
ma bouche s'enflamme,
je crache du feu qui incendie la plaine
et fait périr mes ennemis de mort violente.
Ils seront rôtis comme agneaux de fête...

Je suis Petit Bodiel, c'est vrai,
mais ma langue pique
comme une couleuvre venimeuse.
Je n'ai pour les oreilles de mes ennemis
que de funestes nouvelles.
S'ils me croisent,
ils seront réduits en poussière
ou transformés en tortues vivant de pourriture.
Je suis Petit Bodiel !
Qui me cherche me trouve !

Quand Oncle Éléphant entendit Petit Bodiel déclamer, il s'arma de tout son courage et s'écria :
« Est-ce bien toi, galopin, qui viens pénétrer dans la prairie qui t'est interdite pour le reste de tes jours ?
— Est-ce à moi, Petit Bodiel, grand favori d'Allawalam, que s'adresse une si irrévérencieuse et mauvaise parole ? Je m'en vais en appeler à la face d'Allawalam. »
Joignant l'action à la parole, Petit Bodiel serra son gris-gris entre ses dents. Il se mit sur son arrière-train, leva ses pattes antérieures jusqu'à la hauteur de ses oreilles et s'écria : « Ô Allawalam !... »
L'Éléphant revit en imagination l'aspect hideux de la gazelle métamorphosée par la malédiction de Petit Bodiel. Il se troubla :
« Ô Petit Bodiel ! Tais-toi ! Je sais que l'oreille d'Allawalam est trop proche de ta bouche. Ne lui demande rien ni pour ni contre moi !
— Tu m'as offensé. Il me faut une réparation, repartit Petit Bodiel.

— Eh bien, garde la récolte que tu nous as prise et désormais viens paître à volonté partout où tu voudras.

— J'accepte, car justice est faite. »

Ainsi débarrassé de l'Éléphant, Petit Bodiel n'attendit pas plus longtemps pour entreprendre sa dernière mystification, celle de l'Hippopotame qui monte la garde au bord du fleuve.

Il revêtit la même peau de chat. Et boitant, gémissant, se mouchant, toussotant, il se dirigea cahin-caha vers le fleuve.

Quand il fut sur la berge, il voulut descendre pour boire. L'Hippopotame, qui veillait, ouvrit une gueule qui avait tout l'air d'une caverne hérissée de gros pieux pointus. Il dit, en jetant au loin un jet d'eau qui se brisa avec fracas contre le mur de la berge :

« Allawalam peut tout, mais il ne fera pas que ce soit toi, fils maudit de son père, Petit Bodiel de malheur, que je vois ici devant moi ! Espèce de petit chenapan né d'une rouée lapine, laquelle pour t'engendrer fut saillie une nuit néfaste, toute d'obscurité, par un malin lapin rebelle à la bienséance...

— Par l'animal à une corne sur le front, monture des génies vengeurs des frustrés et des victimes, je t'en conjure, Oncle Hippopotame, ne me confonds pas avec la source de mon malheur !

« J'étais une belle gazelle aux gros yeux doux comme une jouvencelle des îles enchantées. Je bramais dans les plaines où poussent les plantes délicieuses à climat sec. Je vivais heureuse sur les dunes qui ondulent dans les sables blancs. Ma voix était si agréable qu'à l'entendre les zébus s'arrêtaient de ruminer, les zèbres cessaient d'allaiter, les geckos tombaient des branches malgré leurs doigts adhésifs, les rapaces diurnes et nocturnes cessaient de poursuivre leur proie.

« Mais hélas, par un jour rouge du lever au coucher du soleil, je surpris pour mon malheur, pour la tristesse de mon père et la peine de ma mère, le calamiteux Petit Bodiel ! Il tentait de s'approcher du fleuve. Mourant de soif, il cherchait à boire. Je commis l'imprudence de lui crier tout haut : "Malheur à toi, canaille de Petit Bodiel !... Je m'emparerai de toi pour te livrer à Oncle Hippopotame qui te cherche. Il enfoncera ton corps pervers dans la vase pourrie des tréfonds du fleuve. D'un coup de son immense pied il damera ton corps comme le gros pilon plat tasse la terre. Ta poussière pétrie ira se confondre avec celle de tes ancêtres qui ont péri dans l'inondation de Toufan le déluge !"

« A peine avais-je proféré ces menaces que Petit Bodiel jeta son diabolique machin entre ses dents et leva son postérieur en l'air. Il lâcha un pet pestilentiel. Puis il s'assit sur son arrière-train, leva ses deux pattes antérieures à la hauteur de ses deux oreilles dressées en pinacles de forteresse et s'écria presque impérativement, en pointant ses doigts vers le ciel : "Allawalam, je suis offensé ! Venge-moi en vertu de la convention secrète qui me lie à toi, ou je dénonce notre contrat et divulgue le secret que tu m'as confié. Allawalam, prête-moi ton oreille afin que je te dise ce que je voudrais que tu fasses, sans diminution ni retardement !"

« Puis Petit Bodiel continua : "Une insolente gazelle des plaines vient de m'offenser grossièrement, sans égards pour mon alliance avec toi. Allawalam, fais d'elle un animal mi-chat mi-lièvre ! Pourris sa peau ! Attire sur elle une nuée de mouches pour sucer son sang ! Perturbe sa marche..."

« Dès que Petit Bodiel eut fini cette invocation, celui qu'il appelait Allawalam, trop puissant mais trop complaisant pour lui, lança une lueur qui me jeta dans un profond sommeil. Ma respiration fut suspendue.

J'étouffai. Il me semblait avoir été précipitée dans une marmite d'eau bouillante. Je vis comme en un rêve une vieille femme aux mamelles si longues et si maigres qu'elles lui arrivaient sur les genoux. Armée d'une sorte de pelle en bois hérissée d'aiguilles, cette femme se mit à me tourner et me retourner dans l'eau bouillante avec cette pelle chaude et piquante. Je souffris mille morts avant de fondre dans cette eau, qui se solidifia et devint une pâte épaisse et puante.

« Je me réveillai enfin de ce que je croyais n'être qu'un cauchemar provoqué par le diable. Mais je me découvris transformée et toute rabougrie. J'avais cessé d'être une belle gazelle pour devenir mi-chat mi-lièvre, ce que tu vois de tes deux yeux, ô Oncle Hippopotame : ni gazelle, ni chat, ni lièvre. Mon mignon faon se meurt derrière moi. Il n'a plus sa mère... »

L'hippopotame fut pris de pitié pour la pauvre petite bête qu'il avait devant lui. « Pardonne ma méprise, lui dit-il. Bois tout ton soûl et va-t'en en paix. »

Le faux Petit Bodiel but, se lava et prit congé de l'hippopotame en lui souhaitant ardemment que Dieu ne le mette jamais sur le chemin de Petit Bodiel le calamiteux.

« Que Dieu t'entende ! » s'exclama l'hippopotame, qui se dit à lui-même : « Quant à nous, enfonçons-nous plus profondément, avant que ne vienne sur nous le calamiteux fils de la guigne jaune... »

L'hippopotame s'enfonça en laissant un bout de son nez hors de l'eau. La curiosité lui faisait affronter le péril de Petit Bodiel. Il voulait le voir pour en avoir le cœur net.

A quelques pas de là, Petit Bodiel se débarrassa de la peau qui le recouvrait et lui donnait l'aspect d'un chat galeux. Il se mit à chanter la chanson que nous connaissons déjà.

L'hippopotame, partagé entre la fanfaronnade et une peur mortelle, risqua néanmoins quelques mots :

« N'est-ce pas toi, Petit Bodiel, qui as roulé l'éléphant et moi-même et volé toute notre récolte ?

— Malheur à toi, lèvres lippues, baderne épaisse, lourdaud de sa mère ! répliqua Petit Bodiel. Je te réserve un sort des plus malheureux. » Et, jetant son gris-gris entre ses dents, il se mit sur son arrière-train. Il leva ses pattes antérieures, mais avant qu'elles n'aient atteint la hauteur de ses oreilles déjà pointées vers le ciel, l'hippopotame s'écria :

« Arrête, Petit Bodiel, arrête ! Je t'en conjure par Allawalam lui-même, ne lui dis rien ! Bois à satiété ! Garde la récolte ! Va-t'en en paix, et laisse-moi en paix ! »

Petit Bodiel but à sa soif, puis remonta la berge. Il se retourna juste au moment où les flots engloutissaient l'hippopotame. Alors il dit en riant :

« Quand on est le moins fort, il faut, pour vivre sur cette terre, être le plus astucieux. Je viens de prouver que je le suis. Donc je vivrai bien !... »

Après s'être ainsi congratulé lui-même, Petit Bodiel partit au galop en chantant :

Oiseaux des champs, je suis Petit Bodiel,
vainqueur d'un grand tournoi !
Mon esprit a dominé
ceux des deux plus grosses viandes de la brousse.
Je viens de leur arracher la récolte
d'un immense champ que je n'ai ni semé ni sarclé.
J'ai vidé leur grange.
Les deux gros n'y ont trouvé
qu'une farine de poussière.
Le feu de la colère a brûlé leur cœur.
Ils décrétèrent ma mort
comme s'ils étaient Allawalam lui-même !

Les lueurs de ma ruse les ont aveuglés.
Je ne suis pas mort, mais eux furent roulés.
Devant leur face menaçante
ma ruse ne chancela point,
mes bras ne vacillèrent point,
ma raison ne resta pas en suspens.
J'ai sauté par-dessus la mort
qu'ils avaient lancée contre moi.
Mes menaces les ébranlèrent.
Ils me cédèrent la récolte
contre le salut de leur âme.
Quels imbéciles sont ces deux gros !
Quel esprit rusé ne suis-je pas moi-même !

Petit Bodiel, très content de lui-même et satisfait du grand tour joué aux deux grosses bêtes, alla trouver sa mère. Il lui conta son aventure et s'en vanta démesurément. Sa mère baissa la tête et dit :

« Je suis à la fois heureuse et triste. Heureuse de voir que tu as changé, mais triste de voir que, monté jusqu'au parvis de la demeure d'Allawalam, la ruse fut tout ce que tu trouvas de mieux à demander à Celui qui pouvait te donner la sagesse.

— Je crois avoir été sage en t'écoutant, toi ma mère. Cela me suffisait. Car en vérité, quant à être circonspect avec les autres ou réglé dans mes mœurs, les exemples que j'ai autour de moi ne m'y encouragent pas. Je vais vivre à ma guise. Je m'affranchirai des convenances sociales éphémères.

« Je suis désormais un gros propriétaire de graines. Je vais commencer par donner une grande libation à tous les animaux de la forêt.

— Pourquoi dépenserais-tu une si grande partie de la récolte ?

— Pour me faire un nom et me faire désigner

comme Roi. Il faut acheter les gens. Il faut les corrompre ou les compromettre. C'est la vie... N'espérais-tu pas que je disputerais un jour le commandement au Grand Frère Broussard ?

— Mon fils, je n'avais dit cela que comme amuse-bouche. Car le commandement gagné par la ruse se perd par la brutalité.

— Ma mère, tout est ruse sur cette terre. Elle seule compte et opère efficacement par les temps que nous vivons, et cela depuis que l'homme est devenu Roi de la Terre.

« Quelle est, crois-tu ma mère, la source de la grande force du bipède fils d'Adam, force qui lui a permis de dominer, domestiquer et asservir quelques-uns des nôtres ? N'est-ce pas la ruse ? C'est par elle que le bœuf, le mouton, la chèvre, le cheval, l'âne, le chien, le chat, le canard, le pigeon, la pintade, etc., furent réduits à l'esclavage. Ils transportent le fils d'Adam. Celui-ci boit le lait des uns, mange la chair des autres, charge ses faix sur le dos d'autres encore. N'est-ce pas par ruse qu'il creuse un trou dans lequel tombent nos grands carnassiers, qu'il peut ensuite capturer ?

« Je vais, ma mère, me servir de la même ruse pour me faire élire Roi de la Jungle et suzerain du fils d'Adam lui-même.

— J'ai désiré que tu travailles, ô mon fils ! Mais, par le lait que j'ai sucé de ma mère, je n'ai jamais souhaité pour toi une ambition qui te pousserait à vouloir marcher à l'amble à la manière de la girafe ! Il faut que tu saches, mon fils, que tu es né Bodiel. Tu ne seras jamais ni girafe ni autruche.

« La fougue avec laquelle je te vois désirer le commandement te ruinera. Laisse le commandement te forcer ; Allawalam t'aidera alors à bien gérer ton État. Dans le cas contraire, le commandement sera à ton cou comme un lourd carcan de fer hérissé de piquants. Il s'échauffera à chaque lever du soleil pour te brûler et te piquer. »

Mais Petit Bodiel était sûr de sa ruse. Il était convaincu de l'efficacité de son gris-gris, ce qui lui fit dire orgueilleusement à sa mère :

« J'ai fait mes preuves. Mon ascension au ciel et mon action sur Oncle Hippopotame et Oncle Éléphant ne suffisent-elles pas à te convaincre ? Ces deux grosses bêtes seront mes grands appuis. Ils seront les premiers à me choisir. Je serai Roi ! Je n'ai nullement peur d'être confondu par un échec.

« Si l'hippopotame et l'éléphant me désignaient – et ils me désigneront –, qui oserait me refuser leur choix ?

— Tout compte fait, mon fils, conclut Maman Bodiel, ma bénédiction ne sera pas avec toi si tu veux employer toute ta grande récolte pour te faire couronner Roi. Je préférerais te voir l'utiliser à autre chose. »

Petit Bodiel se rebella contre ces sages conseils. Il méprisa sa mère. Il lui « manqua[1] ».

Il fit venir Souni la Civette auprès de lui :

« Mon ami Chat Odoriférant, lui dit-il, de tous les mammifères carnivores tu es celui qui porte une des plus belles robes. La tienne est la plus remarquée des belles femmes de toutes les races. Tu es un être choisi par Allawalam. La preuve en est que la "porte occidentale"de tout animal est une véritable fosse d'aisance, tandis qu'Allawalam t'a doté d'un "anal" qui sécrète un parfum naturel. Tu répands partout une suave odeur.

« Je voudrais que tu acceptes de te charger de transmettre mon invitation à tous les fils de la jungle : mammifères, oiseaux et insectes. Je les invite à une libation

1. Expression africaine courante signifiant : manquer de respect, offenser.

qui durera les sept premiers jours de la septième lune. Celle-ci apparaîtra dans deux semaines. Il va falloir que tu ailles vite !

— Pourquoi invites-tu tous les nés de la jungle ?

— Je ne veux rien te cacher, mon ami Souni. Je veux les enivrer et profiter de leur ivresse pour me faire désigner Roi par eux.

« Mais il y a deux tribus d'insectes que je n'inviterai pas : les fourmis et les termites. Je ne les aime pas. Je n'ai nullement besoin d'eux, parce qu'ils ne peuvent rien m'apporter. D'ailleurs, pour moi, ce sont des cadavres vivants. Ils sont constamment sous terre comme dans leur tombe.

« Il faut commencer par les abeilles. C'est un peuple organisé. Elles travaillent beaucoup. Elles m'apporteront beaucoup de larmes sucrées des fleurs et de sueur miellée des fruits mûrs, dont j'ai besoin pour préparer l'hydromel spécial que je compte servir aux plus nobles des mammifères tels que lion, panthère, etc. Les autres boiront du kondjam, de la bière de mil.

« Je remplirai leur estomac de ces liquides, qui ont la vertu de renverser la tête après avoir tourmenté le cerveau. Je tournerai leur esprit. Une fois soûls, ils manqueront de discernement et de respect envers les bonnes mœurs et la vérité. Ils me désigneront comme Roi. Je les commanderai ! Je les dresserai ! Allez, mon bon Souni ! »

Petit Bodiel serra son gris-gris entre les dents et dit : « Il faut, Allawalam, que devant moi le lion superbe courbe la tête, qu'il soit réduit à l'impuissance comme s'il était jeté dans une fosse !... Que l'éléphant continue à me croire capable de le transformer en un cochonnet pestiféré ! Que tous les grands de la jungle soient abrutis au point de me croire capable de faire rétrograder le soleil parvenu à son zénith !

« Qu'une foudre barbare tombe sur ceux qui seront hostiles à mes ordres et n'approuveront pas mes idées. Et que moi je reste ferme !

« Allawalam, tue les vieillards intempestifs ! Paralyse les jeunes fougueux qui parlent à contre-temps !

« Fais, ô Allawalam, que je sois l'idole vivante devant laquelle tous les habitants de la jungle s'agenouillent, yeux clos et tête baissée.

« Pour tout dire, Allawalam, je voudrais que nous soyons deux à nous partager l'éternité et la puissance. Tu seras au ciel et moi sur la terre... Amen ! »

Lori-Kinal, l'oiseau toucan au gros nez, entendit la prière de Petit Bodiel. Il claqua son énorme bec, et s'indigna :

« Non seulement Petit Bodiel désobéit à sa mère, mais il ose se comparer à Allawalam lui-même ! Guinal le Marabout, qui vit de grenouilles, a dit dans son prône : "Les fils qui désobéissent à leur mère et les êtres qui se comparent à Allawalam tombent dans les ténèbres. Ils mourront dans la détresse à cause de leur révolte." Quand Petit Bodiel obéissait à sa mère, les portes les plus closes lui furent facilement ouvertes. Allawalam le sauva de toute angoisse. Il mit ses soucis en pièces. Il brisa toutes ses difficultés. Petit Bodiel devint feu contre ce qui était fer, et fer contre ce qui était pierre...

« Mais s'il veut devenir Roi, et, plus que Roi, le rival d'Allawalam lui-même au lieu de se faire une gloire de le louer, alors Petit Bodiel se prostitue ! Il s'enfoncera dans l'iniquité. J'ai grand-peur pour lui... »

Petit Bodiel entendit cette longue réflexion de Lori-Kinal.

« F... le camp ! s'écria-t-il. Ôte-toi de mes yeux afin que mes oreilles n'entendent plus ce que ta voix maussade émet. Allawalam a bien fait de t'affliger d'une énorme paire de lèvres pointues qu'il n'oublia pas de surmonter d'une proéminence calleuse pour rendre difficile ta respiration. Je l'en remercie.

« Va-t'en, ou je te ferai piquer par Gueddel-bone, le Petit Lézard venimeux issu d'un œuf pondu par un coq noir et couvé par un crapaud rouge au fond du puits de la calamité !

« Les perdrix et les cailles des prairies m'ont mis en garde contre les mauvais sentiments que tu nourris pour moi. Ah ! Lori-Kinal ! Je ne sais pas ce qui me retient de demander, en vertu de l'alliance secrète scellée au troisième ciel qui m'unit à Allawalam, que tu sois métamorphosé en bousier ! Ainsi tu ne vivrais plus que des matières évacuées du corps des autres. »

Lori-Kinal répondit :

« Foule aux pieds mes conseils, enfonce dans la boue ceux donnés par ta mère, donne-moi même un coup de pied pour complément de correction, mais rappelle-toi ma mise en garde contre le désir immodéré de vouloir commander les autres par le truchement de la ruse et uniquement par le truchement de la ruse. »

Petit Bodiel allait lancer Gueddel-bone contre Lori-Kinal quand celui-ci s'envola à tire-d'aile, plongeant entre terre et ciel comme une planchette dans les flux et reflux des vagues d'un fleuve agité.

Quant à Souni, par le fait exceptionnel qu'aucune odeur désagréable ne sortait d'aucun endroit de son corps, il lui fut bien aisé d'approcher tous les animaux. Tous aimaient humer sa senteur. Il était leur encensoir vivant et ambulant... En plus, il parlait bien. Il ne trouva donc auprès des habitants de la jungle, des herbivores aux carnassiers, qu'oreilles bien disposées à l'écouter. Il obtint de tous une réponse favorable. Tout le monde serait à la fête de libation que voulait donner Petit Bodiel !

Les coléoptères Gallâ-fendouré promirent de donner

de l'air à ceux qui, l'hydromel leur montant à la tête, auraient trop chaud – n'oublions pas que cette tribu d'insectes est celle dont les membres sont munis d'antennes à lamelles pouvant être déployées en éventail...

Petit Bodiel fut informé par Souni des bonnes dispositions de toute la faune à son égard.

Il entraîna Souni jusque chez sa mère. Là, il déclara avec goguenardise à celle à qui il devait le jour :

« Vieille femelle édentée, veuve de feu mon père ! Écoute Souni, mon envoyé spécial auprès des masses de la jungle. Il va te faire le compte rendu de ses entrevues.

— Sache, Maman Bodiel, déclara Souni, très convaincu et cherchant à convaincre, que tous les animaux, même le Rapide de haute brousse, Grand Roi des rapaces qui ne déjeune et ne dîne qu'avec la chair fraîche des petits lièvres Bodjoy, seront de la fête. »

Maman Bodiel se convulsa. Elle se trémoussa d'inquiétude. Elle dit :

« Ô mon fils ! Quand bien même un Bodiel verrait pousser deux cornes à la place de ses deux grandes oreilles, je ne voudrais pas qu'il se mette en travers de la route du Grand Rapace. L'adage dit bien : "Celui qui te tue pour vivre mourrait si tu ne mourais pour le nourrir." Il est dit aussi : "Ce que voit une personne expérimentée par la vie tout en restant assise au pied d'un caïlcédrat, une jeune personne inexpérimentée mais pleine d'enthousiasme ne saurait le voir, même si elle se trouvait dans le houppier du même caïlcédrat."

« Ecoute ta maman que je suis, et décommande ta fête. Tout cela sent trop bon au départ pour ne pas sentir mauvais à l'arrivée. Abandonne ton ambition de devenir Roi de la jungle ! Les bipèdes tête noire fils d'Adam ne sont en constantes tribulations que parce que chacune de leurs tribus veut avoir toute la vérité pour elle et commander les autres.

« Demeure le petit malin du bosquet, jouant aux uns et aux autres des tours et des tours...

— Je maintiens ma fête », décida Petit Bodiel.

Puis, se tournant vers Souni, il lui dit :

« Va tout de suite trouver Lambâdi le Roi des Singes, et dis-lui ceci :

« Au nom des pouvoirs qu'il tient d'Allawalam, Petit Bodiel, qui représente Allawalam sur la terre, vous charge d'ordonner à tous les clans des onguiculés, singes de toutes les tribus, de se rendre à la Grotte des Aigrettes. Ils y trouveront les céréales nécessaires à la préparation de l'hydromel et de la bière de mil que Petit Bodiel doit servir à ses invités dans quelques jours.

« Les abeilles de la jungle y apporteront toute la récolte des larmes sucrées des fleurs et de la sueur miellée des fruits mûrs. Ces liquides doux serviront à préparer les boissons des festivités. »

Souni partit au galop. Ce que voyant, Maman Bodiel dit assez haut pour être entendue de son entêté de fils :

« Pourvu que cela soit vrai et dure plus longtemps que les féeries d'un lever de soleil ou d'un coucher de soleil d'été !... »

*

Pendant que Petit Bodiel donnait des ordres en narguant sa mère, Allawalam trouva qu'il avait cessé d'être un enfant obéissant à sa mère et reconnaissant envers son Bienfaiteur – en l'occurrence Allawalam lui-même. Petit Bodiel, tout comme Vieux Vautour et Paquet de fumée, venait de dépasser la limite permise...

Allawalam dit :

« Toute réalité comporte deux aspects qui constituent à eux deux sa totalité, mais l'un est plus fort que l'autre. Nous n'avons donné à Petit Bodiel que le

"Dou" de la ruse. Il ignore que nous avons gardé par-devers nous l'autre aspect, le "Da". Or, c'est avec le "Da" de la ruse que nous exerçons notre châtiment en surprenant nos rebelles et nos ingrats qui font mauvais usage du "Dou". »

Allawalam donna ordre à son serviteur Kâdime, dont la monture était Yarara le Zéphyr, de descendre sur terre pour confondre Petit Bodiel et le punir de son orgueil.

Kâdime enfourcha Yarara, qui se mit à galoper. Il pénétra le corps des animaux de la jungle par les narines et déclencha en eux un lourd sommeil. Tous dormirent profondément. Tous étaient devenus inconscients, à l'exception de deux tribus : celle des Fourmis et celle des Termites, que Petit Bodiel avait inconsidérément écartées.

Aussi son gris-gris ne put-il exercer sur elles son pouvoir enchanteur. Ces deux tribus constituèrent, en la circonstance, le « Da » de la ruse contre Petit Bodiel...

Kâdime se rendit à Bangal, où réside Lam-Modjou, le Roi des Termites.

« Bonjour, Roi des Termites !

— Bonjour, Étranger mâle ! répondit le Roi.

— Comment vont les vôtres à Bangal et dépendances ?

— Ils vont bien, Dieu merci ! Et les vôtres ?

— Les miens vont bien. Je suis un hôte qu'Allawalam t'envoie sans préavis, pour éprouver ta bonté.

— Ce n'est là qu'une épreuve agréable. Je la subirai avec joie. Mes captifs, mes guerriers, et plus haut qu'eux mon épouse Inna-Modjou Mère des Termites, qui règne sur notre tribu, ainsi que moi-même son premier servant, serons tes domestiques prêts à te servir, et tes hôtes prêts à tout partager avec toi, à l'exception de nos femmes.

— Pourquoi pas vos femmes ?

— Parce que cette coutume n'a pas cours ici chez nous. Elle se pratique sur l'autre flanc de la Montagne rouge. Là-bas, refuser ses faveurs à la femme de son hôte, que l'hôte lui-même met sur votre couche, serait une injure grossière. Il s'ensuivrait une explication qui pourrait être sanglante... »

Kâdime fut présenté à Inna-Modjou, Reine Mère des Termites. Elle le questionna :

« D'où viens-tu ? Comment t'appelles-tu ? Qui t'envoie ?

— Je viens de Kamou, le Ciel, où j'habite au troisième étage. Je m'appelle Kâdime. Je suis un messager d'Allawalam.

— De quoi vis-tu ?

— Je vis de bonnes paroles. »

La Reine se pencha sur l'oreille de son époux, et lui commanda : « Demande à notre hôte s'il connaît les Nyamata Mange-Termites.

— Ô Kâdime ! Connais-tu les Nyamata Mange-Termites ?

— Certainement ! répondit Kâdime. Je vous conseille vivement de vous méfier de leurs hordes. Ce sont vos ennemis héréditaires. Ils ne chercheront par tous les moyens qu'à s'introduire dans vos galeries pour dévorer vos bébés. Je n'en dirai pas autant des Yidi-Modjou, tribu amie de la vôtre. Celle-ci est prête à mourir pour vous défendre contre les Nyamata. »

La Reine, satisfaite de la réponse de Kâdime, donna ordre de le recevoir honorablement et de le bien traiter, avec tous les égards dus aux missionnés d'Allawalam.

« Je vous remercie de votre hospitalité, dit Kâdime, mais je ne suis pas venu pour séjourner. Je suis venu juste pour vous ordonner de la part d'Allawalam d'avoir à transférer dans vos galeries cette nuit même la moitié des céréales que Petit Bodiel a volées à Oncle Éléphant et à Oncle Hippopotame. »

Sous le commandement de Lam-Modjou, époux de la Reine Mère, toute l'armée des Termites s'ébranla. Les adultes sexués dotés d'ailes furent placés en avant-garde, les amazones armées de pièces buccales piqueuses au centre ; les ouvriers et manœuvres de la Cité fermaient la marche.

Kâdime prit congé du Roi des Termites. Il enfourcha sa monture Yarara le Zéphyr jusqu'au pays des Fourmis Korondolli. Il entra dans leur Cité capitale. Il y emprunta des galeries tortueuses sous des dômes de brindilles d'herbes et de plantes frêles.

A un carrefour, il vit une multitude de fourmis venir déposer leurs ailes en guise de deuil. C'étaient de jeunes femelles qui venaient de convoler avec leur époux pour la première fois. Chacune d'elles roulait de droite à gauche son abdomen rond et mobile, et baissait son appareil buccal avant de dire : « Je suis omnivore. J'ai connu mon époux et j'ai conçu de ses œuvres. Il est tombé au champ d'honneur de l'amour. J'apporte ses ailes et les miennes, car je dois désormais mener une vie souterraine et ne plus connaître aucun mâle. Le reste de ma vie consistera à mettre au monde les petits que j'ai conçus en une fois de mon mari. »

Kâdime assistait de loin à cette cérémonie. Il restait rêveur, quand il entendit une sentinelle crier à un convoi de captifs de guerre qu'une expédition ramenait avec bruit : « Ne passez surtout pas par la galerie qui mène à l'étage d'Inna Korondolli, la Reine Mère des Fourmis ! »

Ce qu'entendant, Kâdime éperonna Yarara, sa cavale éthérique. Elle s'engouffra dans la galerie interdite et le mena chez la Reine Mère.

« Qui es-tu pour forcer ainsi ma porte ? s'écria Inna Korondolli, surprise par la présence d'un visiteur inconnu qu'elle n'attendait pas.

— Je suis Kâdime. J'ai été dépêché auprès de toi par Allawalam.

— Sois le bienvenu, ô Kâdime ! Nous sommes reconnaissantes à Allawalam de nous avoir dotées d'une organisation sociale plus solide et plus judicieuse que celle des grosses viandes. Et que nous veut Allawalam ?

— Allawalam vous ordonne, dès cette nuit, de sortir tout votre peuple. Avant demain à la nuit, il faudrait que la moitié de la récolte que Petit Bodiel a volée à Oncle Éléphant et à Oncle Hippopotame soit transférée de la Grotte des Aigrettes dans les greniers souterrains de Hondoldé, votre résidence.

— Entendre l'ordre d'Allawalam, c'est y obéir ! répliqua respectueusement la Reine. Mon peuple ne te dira pas "reviens une autre fois". L'ordre sera exécuté avant que tu ne partes d'ici. Kâdime, tu passeras la nuit dans mes appartements personnels.

« J'attends le retour des mâles, partis en expédition, pour tenir en ta présence un conseil de travail et dresser un plan d'opération.

« Pendant que nous y sommes, dis-moi, ô Kâdime, ce que tu veux manger cette nuit et demain.

— Merci, Inna Korondolli, Mère des Fourmis !... Mais chez Allawalam, je ne vis pas d'aliments, seulement de bonnes paroles et de pensées pures.

— Qu'à cela ne tienne ! Nous t'en servirons amplement. Nos mœurs alimentaires sont très variées. Tu dîneras et déjeuneras de chants pieux de Guidamala, notre veilleur, qui niche dans les branches de l'arbre planté à l'entrée de notre Cité. »

Les mâles ailés revinrent. La Reine Mère tint son conseil en présence de Kâdime, rassasié des chants pieux de Guidamala.

Afo Korondolli, fils aîné de la Reine, était le chef

de l'armée. Sa mère lui fit part de l'ordre d'Allawalam. Afo fit alors venir ses Courriers. Ils étaient au nombre de quarante fois quatre-vingts, plus une fois dix, plus une fois quatre. Il les envoya dire aux rois des 6 666 tribus Korondolli ceci :

« Avant la nuit de demain, il faudrait que la moitié de la récolte déposée par Petit Bodiel dans la Grotte des Aigrettes soit entièrement transférée dans les galeries étagées de la Résidence royale Hondoldé. Allawalam attribue à votre cité cette récolte mal acquise par Petit Bodiel.

« Petit Bodiel n'a eu pour sa mère aucune parole de tendresse ni de consolation. Il sera désormais dans une Jamma, une nuit sans fin, lui et tous ceux qui descendront de lui jusqu'à la fin des fins ! »

Après avoir donné les ordres nécessaires, Afo Korondolli fit visiter à Kâdime la cité Hondoldé. Kâdime fut émerveillé de découvrir, sur cette terre qu'il croyait un séjour d'ignorants en perdition, une organisation sociale qui n'avait rien à envier à celle des pléiades d'esprits célestes !

Les ouvrières de la Cité, telles les jeunes filles devenues dames, s'étaient elles aussi dépouillées de leurs ailes, non en signe de deuil mais afin de mieux travailler. Elles reçurent l'ordre, et en quelques instants elles déplacèrent œufs, bébés, larves et demoiselles nymphes emmaillotées, pour faire place aux graines.

Tout le monde fut mobilisé, à l'exception de la Reine et des princesses en état de grossesse.

Des chemins menant de la cité Hondoldé à la Grotte des Aigrettes furent aménagés. Tout travail autre que le transport des graines de la récolte volée par Petit Bodiel fut suspendu. Les pucerons, prisonniers de guerre employés à la transformation de la sève, comme ceux qui étaient chargés de la culture dans les zones fraîches et humides de Hondoldé, tous furent dirigés sur la Grotte des Aigrettes.

Les travailleurs étaient plusieurs milliers de fois mille multipliés par mille !

Avant la fin de la nuit, toute la récolte était transférée soit dans les magasins souterrains de Bangal, la Capitale des Termites Modjou, et dans ceux de Hondoldé, chef-lieu des États des Fourmis Korondolli.

Le lendemain matin, après leur long sommeil, les Bâdi, singes de toutes espèces, se rendirent à la Grotte des Aigrettes afin de préparer l'hydromel commandé par Petit Bodiel. Ils n'y trouvèrent qu'une farine de poussière parsemée de traces de pattes de fourmis et de termites.

Ils attendirent le convoi des abeilles, qui devaient apporter des larmes sucrées de fleurs et de la sueur miellée de fruits. En fait d'abeilles, les singes reçurent une poussière aveuglante de grains microscopiques de fleurs mâles que Yarara le Zéphyr, cavale de Kâdime, avait éparpillés au vent en traversant la forêt.

Qu'était-il arrivé aux abeilles pour qu'elles fussent empêchées d'être au rendez-vous ?

Kâdime, au dernier moment, s'était aperçu que les singes Bâdi pouvaient, avec des larmes sucrées de fleurs, de la sueur miellée de fruits mûrs et même des fruits, fabriquer un hydromel spécial et de la bière kondjam. Il prit alors sur lui la décision de détruire les abeilles. Il commanda à sa cavale éthérique Yarara de souffler sur celles-ci un frimas engourdissant. De toutes les ouvertures du corps de Yarara sortit un brouillard épais et froid. Ce brouillard, en tombant sur les abeilles, les glaça.

Kâdime ordonna au Roi des Lézards de sortir ses bataillons et d'aller, entre un jour et une nuit, détruire toutes les abeilles alliées de Petit Bodiel. Armés de leurs langues étirables et fourchues et de leurs longues queues, les colonnes de lézards se portèrent contre les tribus d'abeilles.

Ils éprouvaient une grande peur. Ils s'attendaient en effet à une guerre meurtrière, car ils savaient que les abeilles sont des amazones intrépides et organisées dont le derrière est armé d'une flèche venimeuse et protractile.

Lorsqu'ils découvrirent tout l'univers des abeilles engourdi, ils ne purent en croire leurs paupières mobiles. Il fallut leur intimer trois fois de suite l'ordre d'attaquer pour qu'enfin ils foncent sur les abeilles. Il y eut un corps à corps – mais entendons-nous, non pas le corps à corps de deux guerriers s'affrontant énergiquement, mais celui d'un avalé et d'un avaleur. Ce fut la scène de « tape avec ta queue et avale sans façon ». Ce que les lézards croyaient devoir être la mort était en train de devenir un « morga-moda », un dîner de goinfres !

Les lézards se servirent de leurs queues pour casser, déchirer et réduire en miettes alvéoles de nymphes, cases d'ouvrières et cellules royales. Ils avalèrent sans résistance aucune faux bourdons et ouvrières, larves et nymphes. Ils ne quittèrent les lieux qu'après avoir cassé tous les œufs en magasin et, pour tout dire, s'être comportés exactement comme se comportent les fils d'Adam en pays conquis.

Telle était la cause qui empêcha les abeilles de venir à leur rendez-vous.

Lam-Bâdi le Roi des Singes était un vieil et gros orang-outang. Il fut très contrarié d'avoir déplacé pour rien toutes les tribus de sa race. Celles-ci n'avaient-elles pas, au prix des nombreuses indispositions que comporte un voyage dans la jungle, tenu à être exactes au rendez-vous donné par Petit Bodiel ?

Démorou le Chimpanzé, vieux de plusieurs décennies, était le « Maître de couteau rituel », donc le Grand Devin des singes Bâdi. Il jugea bon de procéder à une divination en vue de connaître l'origine de cette mésaventure survenue à leur affaire, et déterminer les sacrifices à opérer pour conjurer le mal, si mal il y avait.

Il traça sur la terre des signes bizarres imitant vaguement feuilles, brins de paille, branches, racines et silhouettes d'animaux dans diverses postures. Il se mit à sauter d'une figure à l'autre en combinant entrechats, cloche-pied, sauts périlleux, tout en voltigeant entre les branches du gros arbre sous lequel il s'était installé pour faire son travail divinatoire.

Quand il eut fini ses acrobaties, il se mit à pousser des cris allant de l'aboiement du chien au rugissement du lion. Il conseilla le sauve-qui-peut car, déclara-t-il, « Kamou le Ciel est en colère contre Petit Bodiel et tous les amis de Petit Bodiel ! »

Les singes Bâdi n'attendirent pas une seconde recommandation. Ils se débandèrent comme une armée en déroute. La plante de leurs pieds se mit à user les venelles des bosquets. Ils criaient : « Seuls les insensés resteront attachés à Petit Bodiel, puisque Allawalam est contre lui ! »

Renard-Lapin, appelé Soundou-Bodiel, était posté non loin de la Grotte des Aigrettes. C'était un ami très fidèle de Petit Bodiel. Il conçut une aversion profonde pour les Bâdi qui s'en retournaient chez eux sans en aviser Petit Bodiel, alors que celui-ci les croyait en train de lui préparer son hydromel. Il courut comme un dératé jusqu'au logis de son ami, qu'il trouva aux prises avec sa mère. En le voyant, Petit Bodiel s'écria :

« Enfin, voilà l'ami sûr qui vient me donner de bonnes nouvelles. Elles prouveront à ma mère édentée que ma fête sera un succès total ! »

Soundou-Bodiel remua ses grandes oreilles sur sa petite tête en guise de désapprobation. Il baissa vers la terre son museau pointu en signe de tristesse, puis il souleva sa queue fourrée et dit :

« J'en jure par ma queue levée vers le ciel, j'ai vu de mes yeux et la Grotte des Aigrettes et les tribus de singes qui devaient préparer l'hydromel de la fête...

— Dis vite ce que tu as à dire, l'interrompit Petit Bodiel, mais de grâce, mon ami, garde-toi d'annoncer un malheur à la veille d'une rencontre joyeuse que je donne à tous les habitants de la jungle, moins deux tribus cadavres que je déteste : les fourmis et les termites.

— La vérité est dure, reprit Soundou-Bodiel. Elle est tel l'excrément de la hyène, qui ne blanchit que desséché par le temps. La vérité n'apparaît claire qu'avec le temps.

— Qu'est-ce que cela veut dire, Soundou-Bodiel ?

— Cela veut dire que tout est f... ! Dans la Grotte des Aigrettes, il n'y a que farine de poussière et traces de fourmis et de termites. Les singes ont rejoint leur pays sans crier gare. Je suis venu te le dire afin que tu ne sois pas surpris. »

Petit Bodiel éclata de rire. Il bouscula sa mère qui allait intervenir :

« Tais-toi ! Je ne veux rien entendre de toi. Vous allez voir comment je vais traiter les rebelles à mes ordres. Ils ne me trahiront plus jamais ! »

Petit Bodiel courut dans sa chambrée. Il chercha vainement son gris-gris qui n'était plus là où il était certain de l'avoir déposé. Le gris-gris avait glissé et était tombé par terre. Or c'était la chose qui ne devait jamais arriver. Toucher la poussière était l'interdit cardinal du gris-gris. Les termites Modjou l'avaient rongé. A la place de ce qui avait été un gros gris-gris, il n'y avait plus qu'un tas de miettes. Petit Bodiel se rendit compte du grand malheur qui venait de le frapper de tous les côtés à la fois.

Une voix terrible se fit entendre :

« Petit Bodiel ! Tu seras humilié comme tu as humilié ta mère !

« La jungle ne sera plus emplie que de tes ennemis. Tu seras réduit à entrer dans des terriers pour échapper à la colère de ceux que tu as roulés et de ceux envers qui tu ne pourras pas tenir ta promesse audacieuse. Tu ne te déplaceras plus qu'en courant et en sautant d'un bosquet à un autre. Tu es condamné à te cacher dans la poussière et dans les touffes de vétiver ! »

Maman Bodiel se jeta à terre. Chacune des deux parties charnues de son derrière se mit à trembler. Elle demanda grâce pour son petit. Les mères sont ainsi faites...

Mais hélas, il y a des moments où Allawalam est terrible et implacable. Il punit durement toute hauteur orgueilleuse. La foudre ne brise-t-elle pas la cime des caïlcédrats et des baobabs ? N'émousse-t-elle pas les pics qui menacent le ciel de leurs aiguilles ?

Le jour fixé pour l'invitation arriva. Toutes les ethnies de la jungle se rendirent à la Plaine des fêtes. Elles n'y trouvèrent ni hydromel, ni kondjam, ni nourriture, et moins encore Petit Bodiel lui-même ! Elles décidèrent alors solennellement la mort de Petit Bodiel. Le chien fut chargé de l'exécution de la sentence.

C'est en raison de cette sentence que, depuis lors, Petit Bodiel et ses descendants ne se déplacent qu'en courant et en sautant.

Allawalam donna néanmoins à Petit Bodiel et aux siens de grandes oreilles toujours dressées afin de percevoir de loin les bruits annonciateurs du danger et se garer à temps.

*

La sagesse et l'honnêteté avaient été, pour Petit Bodiel, un chemin escarpé. Il l'avait évité. Il préféra emprunter le chemin facile et descendant de la ruse, qui finalement le mena à un gouffre.

*

Un bon ami, une bonne mère, une bonne épouse et la sagesse sont des dons providentiels qu'Allawalam n'accorde pas en grande quantité, parce qu'ils procurent le repos. Or notre terre n'est pas un séjour de tout repos...

Le chasseur et son cordonnier
ou le comble de l'ingratitude [1] !

Conte bambara

L'histoire se passe au Royaume des Monts, non loin du pays des Deux Fleuves. C'était au bon vieux temps où les hommes et les animaux parlaient un même langage et entretenaient des relations parfois cordiales.

Zan Donso, fils de chasseur, et Soridian, fils de cordonnier, étaient nés le même jour, dans la même concession. Leurs pères étaient deux amis inséparables. Hélas ! un mois après la naissance de Soridian, son père cordonnier mourut, et un mois plus tard sa mère le rejoignait dans l'autre monde, laissant seul le petit orphelin. Dembagnouma, la mère de Zan Donso, prit l'enfant avec elle et partagea son lait entre les deux nourrissons. Bien que Soridian appartînt à la caste des *garanke* [2], on le considérait comme le frère jumeau de Zan Donso.

1. Tous les contes qui suivent figurent dans l'ouvrage *La Poignée de poussière*, Éditions NEI.
2. *Garanke* : cordonnier. En Afrique traditionnelle, les fonctions artisanales ne sont pas des métiers au sens moderne et économique du terme, mais correspondent à ce qu'on appelle des « castes ». En effet, on *naît* cordonnier, comme on naît for-

Le père de Zan subvenait à tous les besoins de Soridian. Quand le moment fut venu, il enseigna à son fils le métier de chasseur qui était le sien et confia Soridian à un maître cordonnier afin qu'il apprenne l'art de travailler le cuir, comme le voulait sa tradition de naissance.

Avec l'âge, Zan devint un excellent et intrépide chasseur, et son frère de lait un cordonnier habile.

Puis le père de Zan Donso mourut. Son fils, devenu chef de la famille, continua à entretenir Soridian

geron ou tisserand, que l'on exerce son art ou non.

Les « castes », qui comprennent non seulement les forgerons, cordonniers, tisserands, bûcherons, potières, etc., mais aussi les *diêli* (animateurs publics, dénommés couramment « griots ») sont appelés *nyamakala*, c'est-à-dire « antidotes du *nyama* » ou « maîtres du nyama », le *nyama* étant la force mystérieuse qui, à des degrés divers, réside en tout ce qui vit. Leur aptitude à transformer la matière pour créer des formes nouvelles est considérée comme une projection, une reproduction de la fonction créatrice du Dieu suprême. Ils sont censés entretenir des relations occultes avec les éléments de la nature qui correspondent à leurs fonctions respectives : minéraux, végétaux, feu, etc.

Dans chaque branche particulière de *nyamakala* on se transmet de père en fils, ou de maître à élève, un enseignement initiatique spécifique lié aux secrets de la fonction. Cet enseignement ne se partage pas avec l'extérieur. C'est pourquoi les forgerons se marient entre eux, de même que les tisserands, les bûcherons, etc., d'où la constitution de ce que, faute de mot approprié, on a traduit par « castes », bien que ce mot ne comporte pas, comme dans d'autres pays, une notion d'infériorité ou de supériorité. Du moins en était-il ainsi dans les temps anciens. La société africaine était fondée sur le partage des fonctions et l'échange des services. « C'est la guerre qui a créé le *horon* (noble) et le *djon* (captif), dit l'adage ; mais c'est Dieu qui a créé le *nyamakala*. » Ce dernier, non astreint au devoir de guerre et non réductible en esclavage, ne « vendait » pas sa production, mais était entretenu ainsi que sa famille par les nobles de son village (généralement chasseurs, agriculteurs ou éleveurs).

comme son père l'avait fait avant lui. Quand Zan Donso se maria, il voulut que son frère de lait fût heureux en même temps que lui. Il lui trouva une épouse et organisa son mariage. Bref, ils vivaient tout en commun et rien ne semblait pouvoir les séparer.

Un jour, comme de coutume, Zan Donso partit à la chasse. Il s'enfonça très loin dans la haute brousse. Écrasé de chaleur, tenaillé par la soif, il cherchait où se rafraîchir quand, soudain, il aperçut un puits. Il s'en approcha pour y puiser de l'eau. A sa plus grande surprise, il entendit des appels au secours qui venaient du fond du puits. Il se pencha :

« Qui est là ? » cria-t-il.

Une voix puissante répondit :

« Moi, Lion, Roi de la brousse et le plus puissant des quadrupèdes, ainsi que Hyène ma servante fidèle dont une plate vassalité a fortement abaissé le train arrière.

— Ouhou ! Ouhouou ! fit l'Hy... . Je suis Hyène, citoyenne de la brousse...

— Tais-toi, pelage fauve sale ! ordonna le Lion.

— Seigneur, gémit l'Hyène, laisse-moi manifester ma joie. Tes paroles m'ont donné une haute opinion de moi et des services que je te dois, et que je te rends d'ailleurs avec honneur et bonne volonté...

— Tais-toi, vagabonde ! Laisse-moi finir ce que j'ai à dire », rugit le Lion. Puis il continua : « Il y a aussi avec moi le Serpent, le rampant des champs. »

Zan Donso se souvint que, quelques jours auparavant, il avait rencontré le vieux Bougourida Thiéma, et que celui-ci lui avait dit : « Mon fils, une pluie toute spéciale est tombée ces jours-ci, qui a pour effet de revivifier l'ingratitude. »

« Soyons prudent », se dit Zan Donso. Et il hésita à porter secours aux trois animaux qu'il considérait comme symbolisant respectivement la force féroce, la gourmandise infecte et la méchanceté perfide.

« Fils d'Adam, fit le Lion, ne perds pas de temps à réfléchir. Ne crains rien de notre part. La pluie d'ingratitude qui est tombée dernièrement ne nous concerne pas. Nous saurons tous les trois reconnaître ton bienfait. »

Zan Donso réfléchit. « Il n'y a plus lieu d'hésiter, se dit-il, puisque le plus puissant des quadrupèdes, le Roi de la brousse lui-même, a deviné ma pensée. » Se saisissant alors d'une longue corde très solide qu'il emportait toujours avec lui, il s'en servit pour tirer du puits les trois compagnons. Ceux-ci, après l'avoir chaleureusement remercié, s'éloignèrent et s'enfoncèrent dans la brousse. Le jeune homme se désaltéra, puis il poursuivit son chemin.

Quelques mois plus tard, Zan Donso passa toute une journée à chercher du gibier, mais en vain. Bredouille, il reprenait tristement le chemin du village quand, passant près d'un bosquet, ses narines perçurent tout à coup l'odeur de l'Hyène. Il se demanda où pouvait se cacher la nocturne... Brusquement, celle-ci sortit de sa retraite :

« Bonjour, frère Zan Donso ! fit-elle.

— Bonjour, servante au cul incliné en pente rapide !

— A ce que je vois, tu n'as rien pris aujourd'hui, frère Zan Donso ?

— En effet, sœur Hyène. Le petit et le gros gibier ont fui. Sans nul doute, ils ont eu peur de toi et de ton seigneur, le Lion à la grosse tête.

— Que non, frère Zan Donso ! Le gibier a été exterminé par une troupe de bandits coupeurs de route qui ont installé leur refuge dans cette brousse. Le gros baobab que tu aperçois là-bas est l'un de leurs lieux de campement. Ils y passent la nuit après avoir fait l'inventaire de leurs rapines de la journée. Ils tuent tout sur leur passage. Puisque tu n'as rien pris aujourd'hui, inutile de rentrer au village. Viens avec moi. Nous allons nous dissimuler dans un fourré que je connais et attendre que les bandits reviennent. En reconnaissance du service que tu nous as rendu, à moi, à mon seigneur le Lion et à mon frère le Serpent, le rampant des champs, je dois te faire un cadeau. C'est sur le butin des coupeurs de route que je vais le prélever. »

Zan Donso et Hyène se postèrent dans le fourré. Peu de temps après, la troupe des bandits déboucha sur le chemin et se dirigea tranquillement vers le baobab. Tandis que des serviteurs installaient le campement et préparaient le repas, les bandits s'allongèrent, attendant d'être servis.

L'Hyène observa que le chef de la bande s'était éloigné et qu'il semblait chercher en vain un lieu sûr où déposer une volumineuse sacoche qu'il ne quittait pas de l'œil. Finalement, il la conserva et s'en servit comme oreiller.

L'Hyène dit à Zan Donso : « Tout le monde me traite de timorée, et même de couarde. Mais tu vas voir de quels exploits je suis capable quand m'inspire le devoir de payer une dette de reconnaissance ! »

Alors elle s'élança, bondissante, accompagnant chacun de ses sauts d'un hurlement lugubre, bref et saccadé. Les serviteurs poussèrent des cris : « Au secours ! Au secours ! L'Hyène vient à nous ! » Ne sachant de quel côté allait apparaître la dératée, ils couraient en tous sens. Les chevaux et les mules, effrayés par leurs cris, s'agitèrent dans leurs liens. Les hommes se précipitèrent vers leurs montures, à la fois pour les retenir et les protéger.

Profitant de cette panique générale, l'Hyène fonça sur les bagages alors que tout le monde l'attendait du côté des bêtes. Fait unique dans les annales de la gent carnivore, l'Hyène, dédaignant les animaux, ne s'empara que de la sacoche du chef de bande. La tenant bien serrée dans sa gueule, elle détala vers la forêt. Là, elle vint la déposer aux pieds de Zan Donso : « Ce que tu trouveras dans cette sacoche sera ta chance », lui dit-elle. Puis, satisfaite d'elle-même, elle s'éloigna en hurlant dans la nuit.

Zan Donso ouvrit la sacoche. Merveille ! Elle était remplie de pépites d'or énormes, dont deux avaient la grosseur d'une tête humaine !

Zan Donso bénit le ciel. Tout joyeux, il prit le chemin du retour. La nuit était déjà avancée lorsqu'il regagna son village. Il alla directement se coucher, mais il était trop excité pour pouvoir trouver le sommeil. N'y tenant plus, il alla réveiller son jumeau Soridian et l'entraîna chez lui. Il lui dit qu'un bonheur incomparable venait de leur échoir. Tout d'abord, Soridian ne comprit rien ; il demanda à Zan Donso ce qu'il avait tué pour être dans une joie pareille.

« Je n'ai rien tué, répondit le chasseur ; mais, désormais, je n'aurai plus besoin de mon fusil pour vivre. Et toi non plus tu n'auras plus besoin de peiner à tremper, tanner et corroyer tes peaux pourries. Maintenant je suis, ou plutôt nous sommes riches, plus riches que tous les chefs et les rois de toutes nos contrées réunies. Mon fusil de chasse et ton alêne perceuse de cuir ne seront plus que deux outils symboliques pour rappeler notre condition première. »

Zan alla chercher la sacoche et l'ouvrit devant Soridian :

« Nous allons nous partager cette fortune en deux parts égales, comme il se doit entre deux jumeaux », dit-il en riant.

Soridian manifesta une joie débordante. Il bénit son frère jumeau et promit de revenir tôt le lendemain matin pour régler avec lui cette affaire de famille.

Mais le lendemain, bien avant le lever du soleil, Soridian quitta furtivement la maison et s'en alla frapper à la porte du palais où demeurait le Roi des Monts. Il se fit introduire auprès de lui.

« Seigneur, lui dit-il, je ne peux concevoir qu'il y ait, dans le Royaume des Monts, un homme qui soit plus riche que toi. Or, Zan Donso semble avoir assassiné quelque riche marchand et mis la main sur sa fortune. Je ne puis te dire la valeur de ce trésor. Il est fabuleux ! Il faudrait que tu le voies de tes propres yeux, mais Zan Donso ne veut pas que tu en saches quoi que ce soit. Il m'a demandé mon silence, en échange de la moitié du produit de son vol. Vois-tu, je ne me sens plus en sûreté chez lui. Je serai mieux à ton ombre. Seigneur, garde-moi auprès de toi. Je serai ton cordonnier. Je sais réciter les louanges et les généalogies [1] et je travaille le cuir comme un génie [2]. »

La cupidité du Roi fut éveillée. Il envoya chercher le chef de ses gardes. « Pars à la tête de tes hommes, lui dit-il, et va t'emparer de Zan Donso. Attache-le solidement et fais-lui porter son or sur la tête. Mon cordonnier Soridian vous guidera. Sans lui, en vérité, je ne saurais rien de ce qui se passe dans ma ville, à plus forte raison dans le reste du pays ! »

Pendant ce temps, Zan Donso, qui s'était réveillé de bonne heure, attendait avec impatience son frère de lait pour prendre son petit déjeuner avec lui comme de coutume et mettre au point le partage du trésor. Quelle ne fut pas sa surprise quand il entendit donner de

1. Tout *nyamakala*, quelle que soit sa branche – cordonnier, tisserand, etc. –, peut, comme les griots, être attaché à un noble et devenir son courtisan, son confident, voire son conseiller.
2. C'est-à-dire comme un *djinn*, esprit invisible, traduit par génie. Les *djinn* sont censés accomplir des travaux d'une beauté incomparable.

grands coups dans la porte de son vestibule ! Sortant précipitamment, il vit Soridian devant la porte, escorté par la garde du Roi. Persuadé que son frère jumeau s'était rendu coupable de quelque faute, il s'écria : « Mon frère est incapable de faire du mal à une mouche. Qu'avez-vous à lui reprocher ? »

Pour toute réponse, les gardes se précipitèrent sur lui, le réduisirent à l'impuissance et le ligotèrent comme un fagot de bois mort. Soridian pénétra alors dans la chambre de Zan Donso et, de ses propres mains, s'empara de la sacoche pleine d'or.

Le Roi fit enfermer Zan Donso dans une prison obscure. Le jour même, il admit Soridian au rang des griots favoris du trône.

En ville, on ne parlait que de l'aventure fâcheuse qui était advenue à Zan Donso par la faute de son cordonnier. Le Serpent, qui se promenait au bord de la rivière, entendit les femmes venues puiser de l'eau raconter comment Soridian avait trahi son grand bienfaiteur, dont il avait pourtant sucé le lait maternel.

Il se rendit en hâte auprès du Lion et lui conta ce qu'il venait d'apprendre. L'Hyène, qui était présente, intervint :

« Seigneur Lion, dit-elle, Zan Donso n'a pas volé l'or en question. C'est moi qui l'ai prélevé sur le magot des bandits qui infestent notre brousse. Je le lui ai donné afin de le remercier du service qu'il nous a rendu.

— Bien travaillé, Hyène ! décréta le Lion. Je suis content de toi. Viens me masser les pieds. »

L'Hyène sauta de joie et se mit en devoir de masser consciencieusement les pieds de son grand Seigneur à la crinière jaunâtre.

Pendant ce temps, le Roi de la brousse réfléchissait. Il dressa un plan de campagne qu'il exposa à ses compagnons.

« Il nous faut délivrer Zan Donso de sa prison comme il nous a sortis du puits, dit-il. Serpent, va au village et glisse-toi jusqu'auprès de lui. Dis-lui que nous veillons et mets-le au courant de notre plan. »

Aussitôt, le Serpent prit la route. Parvenu au palais, il n'eut aucune difficulté à se faufiler jusqu'à la prison où Zan Donso était maintenu enchaîné. Dès qu'il fut en sa présence, il lui dit :

« Ma sœur l'Hyène s'est acquittée la première de sa dette envers toi. Le Lion et moi allons à notre tour essayer de te sortir de là. Voici notre plan :

« Les noces du Prince des Monts, fils du Roi, avec la Princesse des Deux Fleuves sont fixées pour la semaine prochaine. Jeudi matin, de très bonne heure, la Princesse des Monts, sœur du Prince, se rendra en grande cérémonie à la rivière pour procéder à la lessive traditionnelle du linge des futurs époux. Le Lion profitera de cette occasion pour l'enlever, et toi seul pourras la délivrer. Sans nul doute, cet exploit te vaudra la reconnaissance du Roi son père et son cœur s'attendrira pour toi.

« Le même soir, alors que la Princesse des Deux Fleuves sera conduite chez son fiancé le Prince des Monts, je me glisserai dans la chambre nuptiale et piquerai le Prince au talon. Il tombera sans connaissance et aucun remède ne pourra le guérir, sauf cette poudre que voilà. Délaye-la dans de l'eau et fais-lui-en boire quelques gorgées. La guérison sera instantanée. »

Sa mission accomplie, le Serpent sortit du palais aussi discrètement qu'il y était entré.

Le jeudi matin, comme prévu, toutes les jeunes filles du village, des calebasses pleines de linge sur la tête, se dirigèrent en chantant vers le fleuve, conduites par la Princesse des Monts et accompagnées de gardes armés de bâtons. Lorsque le convoi parvint à un endroit où le chemin s'incurvait pour contourner un petit bosquet, le Lion surgit brusquement des fourrés en poussant un rugissement effrayant. Les jeunes filles, mortes de peur, jetèrent leurs calebasses et s'enfuirent en appelant au secours. Le Lion s'était emparé de la Princesse. Les gardes tentèrent d'intervenir, mais détalèrent dès que le Lion fit mine de les attaquer.

Le Roi des Monts apprit l'affreuse nouvelle. Aussitôt, il envoya sur les lieux une troupe bien armée, mais celle-ci n'eut pas plus de succès que les gardes. Le Lion, assisté de la Lionne son épouse, mit les soldats en fuite.

Désespéré, le Roi fit mander le cordonnier. Il lui dit :

« Ma fille a été enlevée par un lion, mais tout porte à croire qu'elle est encore en vie. Réunis des hommes intrépides et bons tireurs. Avec eux, nous irons toi et moi à la chasse au lion.

— Ô Seigneur, fit Soridian, je ne suis pas un chasseur ! Je ne suis bon que pour tanner la peau du lion une fois qu'il aura été tué. Mais Zan Donso, lui, est chasseur de lions, et même un peu sorcier. Je me demande, d'ailleurs, si dans cette affaire il n'y a pas de sa main. Il faut l'extraire de sa prison et l'envoyer combattre le lion. S'il y perd la vie, eh bien ! tu en seras quitte pour garder son or sans palabres ni critiques d'aucune sorte. »

Le Roi envoya ses gardes chercher Zan Donso. Quand celui-ci fut en sa présence, il lui proposa, pour prix de sa liberté, d'aller combattre le lion et de délivrer la Princesse. Puis, se penchant vers lui, il lui murmura à l'oreille : « Si tu me ramènes ma fille vivante, je te rendrai tout ton or ! »

Zan Donso accepta la mission. Il demanda seulement un coursier rapide et un bon fusil. Ensuite, à la plus grande surprise de tous, il partit seul et s'enfonça dans la brousse.

Avant même le coucher du soleil, il était de retour, accompagné de la Princesse. Le Roi fut au comble de la joie.

Quelques instants plus tard, on entendit résonner au loin le battement des tam-tams et l'accent aigu des trompettes. C'était le cortège de la Princesse des Deux Fleuves, fiancée du Prince, qui approchait. La Princesse des Monts, si heureusement délivrée, put ainsi recevoir dignement sa belle-sœur et la conduire elle-même à la chambre de son époux.

De son côté, le Prince des Monts s'était préparé comme il se devait en vue de consommer son mariage. Le moment venu, tout heureux, il se dirigea vers la chambre nuptiale. Mais comme il en franchissait le seuil, il ressentit brusquement un coup sec dans le talon. Le Serpent venait de tenir sa promesse...

Le jeune Prince tomba raide sur le sol. On le transporta dans son lit. De l'avis de tous les Connaisseurs [1] convoqués à son chevet, sa vie était sérieusement menacée. Le sang coulait doucement de toutes les ouvertures de son corps.

Le Roi, affolé, fit de nouveau appel au concours de Zan Donso, cette fois-ci sans passer par le cordonnier.

Zan Donso examina le blessé :

« Seigneur, dit-il, je peux sauver le Prince. Mais pour que sa guérison soit définitive, il me faudra ensuite préparer un onguent spécial. Or, l'eau qui entre dans la préparation de cet onguent doit être puisée à la rivière au moyen de la boîte crânienne d'un grand traître.

— Pour cela, j'ai ce qu'il te faut, fit le Roi. En attendant, travaille au plus vite et sors mon fils de son état. »

---

1. *Soma*, ou *doma :* initié, homme de science et de connaissance, instruit des vertus des plantes et de l'art de guérir.

Zan Donso délaya la poudre que le Serpent lui avait donnée et en fit avaler quelques gorgées au Prince. Aussitôt, celui-ci ouvrit les yeux et se remit sur pied comme si de rien n'était.

Émerveillé, le Roi dit à Zan :

« Non seulement je te rends ton or, mais en plus je te donne ma fille la Princesse des Monts. Tu consommeras ton mariage avec elle cette nuit même, tandis que mon fils consommera le sien avec la Princesse des Deux Fleuves. Ce sera une double fête pour nous tous !

« Par ailleurs, j'ai appris que le cordonnier Soridian et toi étiez non seulement des amis, mais des frères ayant sucé le même lait. On m'a mis au courant de tous les bienfaits que tu lui as prodigués ; j'ai même appris que tu étais disposé à partager ton or avec lui. Et pourtant il est venu te vendre à moi. A mon sens, on ne saurait trouver de plus grand traître que lui dans tout le royaume. C'est donc son crâne que je te donnerai demain matin pour aller puiser l'eau nécessaire à la préparation de l'onguent qui guérira définitivement mon fils. »

Sur-le-champ, le Roi des Monts convoqua son bourreau.

« Fais venir Soridian », ordonna-t-il. Quand ce dernier fut devant lui, le Roi dit :

« Soridian, tu es un homme bien renseigné. Je voudrais qu'avant demain tu désignes à mon bourreau le plus grand traître du pays, car il a ordre de m'apporter son crâne avant que le soleil ne se lève. »

Soridian, qui avait assisté au revirement de fortune en faveur de Zan Donso, craignait pour sa vie. Pour sauver sa tête qu'il sentait menacée, il dit :

« Seigneur, comment un pauvre cordonnier tel que moi pourrait-il connaître le plus grand traître de ton royaume ? Zan Donso, que voici, est non seulement un chasseur intrépide, mais aussi un grand sorcier. Il est donc l'homme le plus qualifié pour désigner ce traître.

— Cordonnier Soridian ! s'exclama le Roi. Regarde bien Zan Donso en face. Son visage est limpide comme un miroir. Peut-être, en t'y mirant bien, y verras-tu le reflet du visage du grand traître de mon royaume qui doit mourir demain au lever du jour ? »

Le cordonnier regarda le visage de Zan Donso. Espérant encore pouvoir se débarrasser de lui – car il redoutait les conséquences de sa trahison – il déclara :

« Ô Roi ! Le plus grand traître de ton royaume est Zan Donso dont je contemple en ce moment le visage ! »

A ces mots, le Roi fut davantage encore convaincu de l'ingratitude de Soridian. Il éclata de rire.

« Bourreau ! appela-t-il. Soridian a bien vu l'image du traître sur le front de Zan Donso, mais il se garde de le dire. Je n'en suis nullement surpris, car en vérité le plus grand traître de mon royaume, c'est lui-même. C'est donc sa tête que tu m'apporteras demain matin. »

Pour ôter à Soridian toute chance de fuir, le bourreau s'empara de lui et l'enchaîna. Et le lendemain, au petit jour, Soridian subit le triste sort qui, bien souvent, est celui de l'ingrat et du traître [1].

1. Pour l'Afrique noire traditionnelle, l'ingratitude est l'un des plus grands vices dont le cœur humain puisse être affligé. L'ingrat, dit-on, ne connaît jamais la paix, toujours inquiet, constamment sur ses gardes sans motif réel. La vie de son bienfaiteur trahi lui pèse lourdement et chacune de ses paroles le transperce douloureusement.

En langue bambara, *hera thienan* ou *hera don bali*, termes courants qui désignent l'ingrat, sont en même temps des injures graves qu'on ne lance qu'en guise d'anathème.

L'Hyène et le Lion endormi

Conte soudanais

Un jour, l'Hyène trouva le Lion étendu sous des buissons. Le Roi de la brousse dormait si profondément qu'elle le crut mort.

« Ah ! Ah ! ricana-t-elle. Voilà tout de même le despote emporté par une force supérieure à la sienne : la mort. Seule la mort, en effet, peut le terrasser ainsi : bouche ouverte, griffes rétractées... Puisse Dieu empêcher le cruel de revenir à la vie, et que tous les survivants de son espèce périssent ! »

Enhardie, elle s'approcha du lion et lui cracha sur la tête : « Honte à toi, myope, fils de borgne, petit-fils d'aveugle ! Te voilà mort et tes cendres seront dispersées aux six points de la terre ! »

Puis elle s'interrogea : « A la vérité, qu'avait donc le Lion de plus que moi ? Je vais me mesurer à lui pour le savoir. » Et elle s'étendit de tout son long au côté du Seigneur de la brousse. « Voyons, fit-elle, je constate que nous avons la même taille, le même tour de poitrine et la même encolure. Je ne vois vraiment pas pourquoi j'avais si peur de lui. O Dieu, ressuscite donc le sanguinaire ! Sa vue ne me donnera plus la diarrhée. Désormais, c'est moi qui le ferai suer de peur.

A ses rugissements prétentieux, j'opposerai mes hurlements autoritaires et intrépides, et ma crânerie émoussera sa vaillance ! Et maintenant, partons. Laissons-le pourrir doucement mais sûrement. »

Comme l'Hyène tournait le dos pour s'éloigner, le Lion s'étira, ouvrit les yeux, leva la tête et dit :

« Hyène, tu me fais trop attendre... Va vite à la rivière puiser de l'eau pour ma toilette.

— Hé, Lion ! répliqua l'hyène. C'est sur ma prière que tu viens d'être ramené à la vie. Je dois te dire que les temps ont changé. Maintenant, nous sommes tous égaux. Il n'y a plus ni roi ni sujets. Pourquoi irais-je chercher de l'eau pour toi ? Si tu as envie de te laver, arrange-toi comme tu l'entendras. Et n'essaie pas de me faire peur : nous avons même taille, même poitrail, même encolure et même... tout ce que tu voudras. Désormais, je ne te crains plus !

— Et depuis quand cette loi d'égalité totale a-t-elle été publiée dans la forêt ? demanda le Lion.

— Ô pauvre ressuscité ! On voit bien que ton séjour dans l'autre monde t'a complètement abruti...

— Écoute-moi, Hyène ! Je ne dormais pas. J'ai parfaitement entendu tout le mal que tu as dit de moi et de mes ancêtres. Me considérant comme supérieur à toi, j'ai méprisé tes injures, mais puisque j'apprends de ta propre bouche que nous sommes égaux, je ne laisserai point tes paroles impunies. Prépare-toi donc à un duel ! »

L'Hyène se campa solidement sur son arrière-train. Le Lion, après avoir pris du recul, bondit : « Attrape ceci pour te désabuser ! » cria-t-il. Et d'un coup de poitrine, il renversa violemment l'Hyène. D'émotion, celle-ci se salit de ses propres excréments. Elle tenta de se relever, titubant comme un petit chien qui apprend à marcher, mais le Lion ne lui en donna pas le temps. Il fondit sur elle et l'envoya rouler six coudées plus loin.

L'Hyène déposa sur le sol un deuxième témoignage de son émotion. Râlant, se traînant lamentablement, elle essaya de se redresser mais, hélas, un troisième coup la fit voltiger dans les airs. En retombant sur le sol, elle déposa... Inutile d'en dire davantage, vous m'avez compris !

« Ô Lion, fit-elle, j'ai compris ! Tu es toujours le Seigneur de la brousse. On m'a trompée, je demande la paix. D'ailleurs, je n'ai plus rien dans mes intestins. Si tu me cognais encore, j'évacuerais mes tripes.. Grâce ! Grâce !

— Iras-tu chercher de l'eau pour ma toilette ? demanda le Lion.

— Qu'à cela ne tienne, Seigneur ! Je n'ai jamais refusé d'obéir à tes ordres, ni d'honorer le moindre de tes désirs. »

Et l'Hyène alla puiser autant d'eau qu'il en fallait pour la toilette du Lion.

Sa corvée accomplie, elle s'en alla, laissant sur le théâtre du combat trois tas nauséabonds qui témoignaient de la violence de son altercation avec le lion. Chemin faisant, elle rencontra le Lièvre.

« Bonjour, Dératée ! la salua celui-ci. A ce que je vois, ton arrière-train est encore plus surbaissé que de coutume. Qu'est-il donc advenu ?

— Ô Oreillard ! répliqua l'Hyène. Je viens de vider un différend avec la Grosse Tête. Je lui ai montré que les choses d'ici-bas changent parfois à l'improviste et que ce ne sont pas toujours les mêmes qui font la loi.

« Pour me prouver qu'il était toujours le plus fort, le Lion m'a provoquée en duel. Il bondit sur moi et me heurta de toute la puissance de sa poitrine, mais au lieu de m'ébranler, c'est lui qui est allé s'écraser sur ses fesses, tombant si brutalement qu'il en déposa, bien malgré lui, un petit "tas de honte", témoin de sa défaite. Après une deuxième et une troisième collision, le Lion comprit qu'à la fin il ne lui resterait plus rien dans les boyaux. Il me demanda donc la paix, juste au moment où j'allais lui administrer une quatrième correction, une volée de coups qui aurait achevé de l'estropier pour le reste de ses jours.

— Eh, Dératée ! s'exclama le lièvre. Ton affirmation m'étonne. Je ne puis croire ce que tu me dis.

— Les traces et les excréments de mon adversaire répandus sur le sol te suffiront-ils comme preuve ?

— Certainement.

— Eh bien, suis-moi. Tu en jugeras de tes propres yeux. »

Et ils se dirigèrent vers le lieu du combat. Une fois sur place, l'Hyène expliqua :

« Ici a eu lieu le premier engagement. Le Lion, après m'avoir invitée à me tenir prête, bondit de l'endroit que tu vois là-bas, à huit coudées. Il vint buter contre moi ici. Mais ma résistance était si forte qu'il ricocha, piqua de la tête et se renversa là. Et, ma foi, il se soulagea de ce tas honteux que tu vois. »

Le lièvre s'approcha du tas en question et l'examina attentivement.

« Sont-ce vraiment là les excréments du Lion ?

— Certes oui ! ricana l'Hyène. Si tu avais vu comment il râlait et comment son "bas" allait quand il évacuait ça !... »

Le Lièvre sortit alors de son vêtement un sachet dont il retira une poudre noirâtre.

« Cette poudre, expliqua-t-il, a une vertu particulière. Quand on s'en sert pour asperger un excrément, celui qui l'a déposé meurt.

— Et que comptes-tu faire de cette pincée que tu tiens entre tes doigts ? s'inquiéta l'Hyène.

— Jusqu'à présent, répondit le Lièvre, j'ai vainement recherché les excréments du Lion pour débarrasser la brousse de ce monarque despote. Je ne vais pas perdre une occasion qui s'offre si opportunément ! Je vais donc saupoudrer ces résidus, et si vraiment ils appartiennent au Lion, alors son compte est réglé !

— Un petit moment, cousin Lièvre ! fit l'Hyène. N'asperge pas encore ces excréments. Ici, vois-tu, les choses ne sont pas bien nettes. Quand le Lion a buté contre moi, il s'est renversé, cela est incontestable. Mais, il n'est pas honteux de le dire, la nature m'ayant dotée de pattes postérieures un peu trop courtes par rapport à mes pattes antérieures, il m'est difficile de réaliser un équilibre parfait. Quand le Lion m'a heurtée, il s'est produit un mouvement de gaz dans mes intestins. Instinctivement, ma main s'est glissée jusqu'à mon fondement et... tant pis, il faut tout dire !... je me suis aperçue qu'il était humecté. Dans ces conditions, je ne puis certifier que les excréments que nous voyons là aient bien été entièrement évacués par le Lion. Allons plus loin, veux-tu ?

— Allons-y ! » accepta le Lièvre, conciliant.

Plus loin, un autre tas apparut. Le Lièvre tendit la main pour laisser tomber la poudre magique. L'Hyène se précipita et retint son bras :

« Écoute, cousin Lièvre, j'ai entendu dire que la précipitation était née du diable. Ne t'empresse pas de la sorte, laisse-moi voir d'abord ce qu'il en est. » Et elle fit semblant d'examiner les excréments. « J'aimerais mieux que nous allions au troisième tas, dit-elle, car celui-ci est parsemé de quelques poils qui, après tout, pourraient bien être les miens. »

Au troisième tas, elle fit l'embarrassée...

Le Lièvre, qui tenait toujours une pincée de sa poudre magique entre les doigts, éclata : « A moins qu'il n'y ait un quatrième tas, je crois que nous y sommes ! Je suis à bout de patience. Jusqu'ici, en fait, je n'ai vu que tes excréments et aucun du Lion... »

Juste à ce moment, le Roi de la brousse apparut.

« Ohé, Hyène ! cria-t-il. Que montres-tu ainsi à Lièvre ?

— Je montre au Lièvre, dit l'Hyène, comment "chie" celui qui ne sait pas faire le départ entre ce qu'il peut et ce qu'il ne peut pas et qui s'attaque inconsidé-rément à plus forte partie que lui...

— Que dis-tu, Hyène ? s'étonna le Lièvre.

— Je dis : sauvons-nous au plus vite avant que... Oh ! Encore !... »

Les trois pêcheurs bredouilles

Conte bambara

C'est un conte comme un autre...
Écoute-le, mon Frère. Et si l'envie t'en prend,
ris-en de toutes tes dents,
pleures-en de toutes tes larmes,
ou médite et tires-en une leçon.

Voilà bien longtemps, la Calamité se répandit sur le monde. Elle s'empara de toute la terre. Humbles ou puissants, bêtes ou hommes, nul n'y échappa.

L'Hyène, chassée par la faim, rencontra le Chien au bord d'une mare où un vieux bouc les avait devancés. Tous trois, pressés par un même besoin, n'avaient qu'une idée en tête : pêcher et manger.

L'hyène s'attribua le commandement et dicta une loi : le produit de la pêche serait équitablement réparti, et cela sans autre considération.

Les trois compagnons se mirent au travail. Ils passèrent de longues heures dans l'eau, mais la chance ne leur sourit point. L'hyène se dit à elle-même : « Si nous n'attrapons rien, j'en serai quitte pour dévorer mes compagnons qui, après tout, ne sont que des gens de mauvaise chance. » Ayant ainsi réglé la question, elle se mit à fredonner une chansonnette :

> *Bonne ou mauvaise soit-elle,*
> *la pêche, pour le Chef,*
> *sera toujours fructueuse.*
> *Il ne rentrera pas bredouille :*
> *« Parent Chien » n'est-il pas là,*
> *avec « Frère Bouc » à ses côtés ?*

A ces paroles, le chien comprit qu'en cas d'insuccès l'hyène s'en prendrait soit à lui-même, soit au bouc. Certain, quant à lui, de pouvoir gagner son salut à la vitesse de ses pattes, il chanta, en réplique, le petit air suivant :

> *Sen tan,*
> *Ô bé sen tan louma !*
> *Ô les sans-pattes* [1]*,*
> ceci est pour vous, c'est sûr !

Le bouc, ainsi prévenu du danger qu'il courait, ne se troubla nullement. Il réfléchit un moment, puis chanta à son tour :

> *Kekouya !*
> *Bè nika kekouya kokoï !*
> Malice !
> Chacun a sa malice qui va *kokoï* [2] !

1. « *Sans-pattes* » : sous-entendu : ceux qui n'ont pas de pattes rapides à la course. Cette interpellation s'adresse donc au bouc.
2. Onomatopée évoquant la marche du bouc et qui, par sa ressemblance avec le mot *kekouya* (malice), donne à la phrase un rythme et une sonorité impossibles à rendre dans une traduction.

La pêche continua. A la fin de la journée, les trois compagnons n'avaient ramené que trois pièces : un gros poisson, un moyen et un petit.

Ils s'assirent en cercle, leur prise devant eux. L'Hyène dit :

« Mon estomac est de beaucoup supérieur aux vôtres en capacité. Il faut en tenir compte dans le partage. »

Le Bouc – qui, en tant que « barbu » [1], avait été chargé de faire les parts – ne tint aucun compte du dire de l'Hyène.

« En ma qualité de Petit Vieux, dit-il, je vais m'inspirer de la sagesse pour établir le partage de notre prise. Et rien de ce qui a trait à la capacité stomacale respective des individus n'entrera en ligne de compte. Voici ce que je décide :

« Un : le plus gros poisson me revient parce que je suis votre Vieux et qu'il faut récompenser mon renoncement à tout commandement temporel.

« Deux : le poisson moyen, je l'attribue au Chien parce que tout effort mérite récompense ; or, le Chien a bien plongé.

« Trois : le petit poisson, je le destine, grossi de nos hommages, à notre cheffesse l'Hyène. Les chefs, c'est bien connu, doivent être les moins gourmands s'ils veulent être obéis et fidèlement servis. »

Le chien protesta :

« Si tu es conséquent avec toi-même, Frère Bouc, voici ce que tu dois faire :

« Un : me donner le plus gros poisson.

« Deux : garder le moyen pour toi.

« Trois : donner le plus petit, grossi de nos hommages, à notre cheffesse l'Hyène.

— Assez ! hurla celle-ci. Je vais vous apprendre, citadins que vous êtes, ce qu'est la loi de la jungle.

---

1. Le bouc est assimilé à un « petit vieux », la barbe étant considérée comme emblème de sagesse et de bienveillance.

« Un : je prends le plus gros poisson, par le droit du plus fort.

« Deux : je garde le moyen pour vous punir de vouloir moraliser votre cheffesse et d'édicter des lois.

« Trois : je confisque aussi le petit poisson car je n'admets pas qu'un herbivore de l'espèce du bouc réclame une part de viande ; c'est là une prétention inouïe ! »

Ayant dit, l'Hyène se baissa pour ramasser les trois poissons. Mais avant qu'elle ait pu le faire, le Chien bondit comme un éclair, s'en empara et détala vers le village.

L'Hyène se lança à sa poursuite. Tous deux jouèrent convenablement des pattes, mais le Chien arriva le premier à la palissade du village. Apercevant une fente, il tenta de s'y faufiler, mais avant qu'il y soit parvenu l'Hyène l'avait rejoint et avait saisi l'une de ses pattes arrière.

Un chat vint à passer par là. « Vite ! appela le Chien, tiens-moi mon paquet pour que je puisse dégager mon pied. » Puis, se tournant vers l'Hyène, il lui dit en ricanant : « Grosse bête, tu crois tenir ma patte, mais ce n'est qu'un pieu de la palissade que tu tiens là. » Aussitôt, l'Hyène lâcha prise pour attraper, cette fois, un vrai pieu. Le Chien, tout heureux de l'avoir doublement trompée, se retourna vers le chat pour récupérer son paquet ; mais, hélas, le petit fripon avait déjà disparu avec les trois poissons !

Des moineaux qui avaient assisté à la scène adressèrent au Chien des condoléances moqueuses. L'aboyeur se posa alors sur son arrière-train, rabattit ses oreilles et se mit à réfléchir sur sa mésaventure.

Soudain, il entendit une voix de l'autre côté de la palissade. C'était l'Hyène qui, déguisant sa voix, cherchait à l'attirer. Elle criait :

« *Ngoomi ye ! Ngoomi ye !* Galettes à vendre ! Galettes à vendre ! »

103

Le Chien, arraché à sa méditation, aboya d'une façon saccadée :

« *Kolon tè ! Kolon tè !* Pas de cauris ! Pas de cauris[1] !

— *Naa a ta diourou la !* Viens en emprunter ! fit l'Hyène.

— *Diourou magni ! Diourou magni !* Emprunter c'est mauvais ! Emprunter c'est mauvais ! répondit le Chien.

— *Naa a ta gansa !* Viens les prendre pour rien ! répliqua l'Hyène.

— *Taa wooota ! Taa wooota !* Va-t'en au loin ! Va-t'en au loin[2] ! » aboya le Chien.

L'Hyène, obligée d'abandonner la partie, revint sur ses pas, espérant surprendre le Bouc dans quelque buisson. Arrivée au bord de la mare, elle ne vit personne. Du Bouc, elle ne perçut pas même l'odeur. En désespoir de cause, elle se décida à plonger une dernière fois pour tenter sa chance.

Après quelques allées et venues dans la mare, elle heurta un corps. Ce n'était pas un poisson. Ce corps était d'ailleurs si recroquevillé sur lui-même et si couvert de boue qu'on ne pouvait l'identifier.

A tout hasard, l'Hyène dit :

« Coquin ! Je te tiens et tu ne m'échapperas pas cette fois-ci !

— Pour qui me prends-tu ? répliqua le recroquevillé. Tu paieras cher ton insolence !

— Je te prends pour le Frère Bouc de malheur qui me paiera cher sa traîtrise !

— Insensée ! Je suis le petit dieu descendu dans la mare pour protéger les poissons. C'est moi qui répands la pluie et déclenche la foudre !

---

1. Petits coquillages qui servaient jadis de monnaie.
2. Le dialogue entre l'Hyène et le Chien est chanté sur un ton et un rythme imitant le cri de chaque animal.

— Si vraiment tu es le petit dieu, eh bien, arrose donc mon visage de pluie et envoie-moi la foudre en pleine face ! » s'exclama l'Hyène.

A ces paroles, le Bouc – car bien entendu le recroquevillé c'était lui – aspergea l'Hyène d'une giclée d'eau, puis lui assena un violent coup de cornes en plein visage.

L'Hyène, désemparée, s'enfuit au loin en hurlant :

« C'est un petit dieu, un petit dieu d'orage et de foudre ! Petit dieu ! Petit dieu ! Un dieu, même comprimé, est toujours terrible[1] ! »

Le Bouc sortit de la mare. Précédé de sa barbe et suivi de sa queue, il reprit tranquillement le chemin du village, en marchant de son allure *kokoï ! kokoï ! kokoï !*

A sa droite, dans les branches d'un arbre, une tourterelle chanta :

> *Chez la gent non ailée,*
> *ce sont les narines qui aspirent le tabac,*
> *mais ce sont les yeux qui versent des larmes !*

*

Autrement dit, quand c'est l'un qui paie, c'est un autre qui profite...

---

1. Comme le lecteur l'aura compris, l'Hyène, dans les contes africains, symbolise presque toujours la bêtise et la couardise, jointes à la gourmandise.

L'odieux prétexte d'Hyène-Père

Conte peul

Cette année-là, il y eut une éclipse de la grâce divine. La bienveillance du Créateur resta suspendue entre terre et ciel. La pluie cessa de tomber. Les gorges se desséchèrent. La surface de la terre se recouvrit de gerçures. Aucune herbe nouvelle ne poussait plus ; les anciennes dépérirent.

Pour finir, il n'y eut presque plus rien à manger ni pour les hommes ni pour les animaux. On ne trouvait plus la moindre goutte d'eau nulle part. Les vers de terre grignotèrent les racines des plantes. Les termites en rongèrent les feuilles et les branches. Les oiseaux se nourrirent des vers. Les rapaces mangèrent les oiseaux.

Bref, les êtres s'entre-dévorèrent tant et si bien qu'il ne resta plus, dans tout le Djêri (haute brousse)[1], qu'une famille Hyène composée de Hyène-Mère, Hyène-Père et Hyène-Fils. Pour échapper à la calamité, tous trois prirent la fuite. En cours de route, hélas, Hyène-Mère succomba de fatigue, de faim et de soif. Hyène-Père et Hyène-Fils dévorèrent son cadavre. A quelque chose cadavre est bon...

1. C'est aussi le nom d'une région du Sénégal.

Plusieurs jours après, la faim pressa de nouveau Hyène-Père. Il sentit ses forces décliner ; or il ne voulait pas mourir. Ne pouvant se manger lui-même, il n'y avait plus qu'une solution : manger son fils. « Pour cela, se dit-il, il me faut un motif valable, un motif qui justifiera ma mémoire devant les trois tribus d'Hyènes : Pelage-fauve, Pelage-gris et Pelage-noir. »

Hyène-Père se plongea dans ce qui, visiblement, était une méditation profonde. Intrigué, son fils le fixa des yeux. S'apercevant que son fils l'observait plus que de coutume, Hyène-Père abaissa davantage encore son derrière qui n'était déjà que trop surbaissé par la nature.

« Ohé, petit ! s'écria-t-il. On raconte qu'au cours des temps il y eut une époque où Allawalam transmutait les corps des animaux les uns dans les autres sans considération d'espèces. La chose est d'autant plus véridique que, comme je viens de le constater, tu as des yeux d'agnelet et non dc véritable petit d'hyène ! »

Hyène-Fils, qui n'était pas dupe des intentions de son père dénaturé, s'exclama :

« E-é-é-éh ! E-é-é-éh ! mien Père ! Comment pourrais-je, étant ton fils naturel, devenir celui d'un ovin cornu ?

— La preuve en est que tu viens de bêler, rejeton de bélier ! Apprends que le fils de la brebis a beau séjourner dans le pelage de l'hyène, jamais il ne hurlera *gnouiii* [1] ! Pour t'apprendre à occuper indûment les entrailles d'un carnivore, viens donc dans mon estomac chercher ton reste ! »

Et joignant le geste à la parole, Hyène-Père se jeta sur son fils qu'il dévora à belles dents.

*

1. Onomatopée évoquant le cri de l'hyène.

La faim ne se contente pas de chasser l'hyène du bois, elle lui fait aussi dévorer son fils [1]...

---

1. De ce conte, la Tradition tire deux leçons :
— Quand un homme de caractère affirme une chose, certes on peut le croire, sauf s'il dit : « Même si je meurs de faim, je ne ferai jamais telle ou telle chose », car Dieu seul sait à quelles extrémités peut pousser la faim.
— Lorsqu'un chef en veut vraiment à quelqu'un, il finira toujours par trouver un motif pour sévir contre lui...

Le mensonge devenu vérité

Conte peul

Un jour, une hyène, furetant aux abords d'un village, trouva un chevreau mort. Tout heureuse, elle le ramassa, s'éloigna du village et le traîna dans un bosquet pour y faire tranquillement ripaille. Mais au moment où elle s'apprêtait à manger, elle aperçut au loin un troupeau d'hyènes qui venaient droit sur elle. De peur que ses congénères ne lui ravissent son déjeuner, elle se hâta de cacher le chevreau, puis vint s'installer au bord de la route. Là, elle se mit à roter et à bâiller bruyamment : « Bwaah ! Bwaah ! Bwaah ! »

Les coureuses s'arrêtèrent :

« Eh bien, Hyène-Sœur, qu'y a-t-il ?

— Courez vite au village ! Tout le bétail est mort et on a jeté les cadavres sur le « village d'ordures [1] ». Je me suis bien régalée. Maintenant, je rentre tranquillement dormir chez moi. »

A cette nouvelle alléchante, la troupe d'hyènes fonça vers le village avec une telle ardeur qu'elle souleva sous ses pas un véritable nuage de poussière.

Contemplant ce spectacle, l'Hyène se dit : « Voilà

1. Expression signifiant : dépôt d'ordures.

que mon mensonge est devenu vérité, car jamais un mensonge à lui seul ne pourrait soulever un tel nuage de poussière ! Courons vite, c'est devenu la vérité ! C'est devenu la vérité ! »

Et laissant là son chevreau, elle fonça à son tour vers le village...

*

Telle est la force du mensonge qu'à force d'être répété, un beau jour le menteur lui-même finit par y croire.

Le Crapaud, le Marabout
et la Cigogne à sac

Conte peul

Dans le village situé derrière la colline vivait un Marabout occultiste versé dans l'art de procurer le bonheur à ses clients.

Monsieur Crapaud, qui s'estimait défavorisé par le sort, décida de recourir à ses bons offices.

Une nuit, bien avant les premières lueurs de l'aube, il prit la route. Longtemps, longtemps, il marcha, peina et sua sur le chemin. Enfin il arriva devant la maison du Marabout et frappa à sa porte. Un Coq y montait la garde. C'était lui qui était chargé de recevoir les visiteurs, de les introduire ou de les éconduire s'il le jugeait bon.

« Bonjour, mon Prince ! dit le Crapaud au Coq qui portait fièrement sur la tête un turban de chair dentelée du rouge le plus écarlate. Rien qu'à voir votre turban, on sait que vous êtes un prince de la gent des Gallinacés. J'ai mis de bien longues heures à franchir un monticule de terre édifié sur ma route par je ne sais qui afin de m'empêcher de venir jusqu'ici.

— Qui êtes-vous ? demanda le Coq.

— Je suis Monsieur Crapaud. Je désire voir le Marabout pour lui expliquer mon cas et lui demander d'intervenir en ma faveur auprès de Papa Bon Dieu.

— De quelle race êtes-vous ?

— Je suis de la race des Derrières-Affaissés.

— Êtes-vous venimeux ?

— Non, mon Prince.

— Attendez, je vais voir si le Marabout est levé. »

Le Coq entra dans la case du Marabout. Celui-ci était réveillé depuis longtemps. Après avoir fait ses prières matinales, il était en train d'égrener son chapelet, la face tournée vers la sainte Kaaba, la Maison sacrée édifiée à La Mecque en l'honneur de l'Éternel par le Prophète Abraham, puis purifiée et consacrée une nouvelle fois par le Prophète Mohammed – que la Paix de Dieu soit sur eux !

« Bonjour, Marabout ! dit le Coq.

— Bonjour, Muezzin ponctuel, dit le Marabout. As-tu passé une bonne nuit ?

— Oui, Marabout. Par la grâce de Dieu et de son Prophète, j'ai dormi jusqu'à l'aube. Saint Marabout, êtes-vous prêt à recevoir un consultant ?

— Qui est-ce ?

— C'est Monsieur Crapaud, de la race des Derrières-Affaissés.

— A quoi ressemble-t-il ?

— C'est un bonhomme lourd et trapu aux quatre membres extrêmement courts.

— Et quelle est sa profession ? Car il ne saurait être question que j'accepte dans ma clientèle des gens sans métier.

— Je crois que sa profession consiste à manger ceux qui vous piquent, vous dévorent et vous importunent, vous autres bipèdes.

— Ah ! ah !... Eh bien, un ennemi est un ennemi et l'ami d'un ennemi est également un ennemi, mais l'ennemi d'un ennemi est un ami. Si ce que tu dis est vrai, Monsieur Crapaud ne peut être qu'un ami. Fais-le donc entrer. »

Le Coq sortit et dit au Crapaud :

« Le Marabout vous attend. Mais laissez-moi vous donner un conseil. C'est un agent d'Allawalam ; il ne faut donc en aucun cas dire du mal devant lui de l'Empereur des cieux et de la terre. Si vous le faisiez, il s'enflammerait aussitôt et me donnerait l'ordre de vous jeter dans la rue. Aussi, sachez comment lui répondre s'il vous parle d'Allawalam. »

Monsieur Crapaud entra dans la case. Il fit une grande révérence au Marabout en soulevant d'abord son buste sur ses deux pattes de devant, puis en le laissant rapidement retomber à terre.

« Monsieur Crapaud, dit le Marabout, soyez le bienvenu ! Prenez place sur ce siège, et dites-moi ce qui me vaut l'honneur de votre visite. »

Le Crapaud sauta sur le siège indiqué, s'y installa confortablement et expliqua :

« Saint Marabout, j'ai ouï dire qu'Allawalam et vous étiez de grands amis, qu'il écoutait les doléances lui parvenant par votre entremise et qu'il les satisfaisait immédiatement. Je suis donc venu vous exposer mon affaire.

« L'autre jour, alors que je me trouvais sur la route, survint Grand Frère Cheval. Il allait au plus pressé. Au lieu de m'enjamber, il préféra me piétiner. "Ça te massera le dos et t'apprendra à te dépêcher !" s'exclama-t-il moqueusement.

« Deux jours après l'incident, voilà que Grand Frère Cheval fut atteint d'un mal au pied caractérisé par une sécrétion fétide. Il alla voir ma tante Grenouille. Celle-ci, après avoir consulté ses douze cauris divinatoires, lui dit : "Tu es atteint de la maladie du crapaud. Et je ne vois que mon neveu le Crapaud pour donner pareille maladie à ceux dont il souhaite la mort..." ».

« Or, Saint Marabout, ma tante a inventé de toutes pièces ce pouvoir magique qu'elle m'attribue dans la seule intention de me faire du tort. Elle veut en effet se venger de moi depuis que j'ai refusé la main de sa fille Mademoiselle Grenouillette. Je ne peux plus supporter cette situation. Je suis venu vous voir, Saint Marabout, pour vous demander de me donner un gris-gris qui non seulement me fera aimer par tout le monde, mais me fera gagner de l'argent, ce qui me vaudra le respect de tous. »

Le Marabout prit sa tablette de bois. Il trempa sa plume de roseau dans une encre faite d'un mélange d'eau, de poudre de charbon et de gomme arabique. Il écrivit en nombres cabalistiques le nom de Monsieur Crapaud, examina attentivement le résultat obtenu et s'apprêta à tracer un carré magique porte-bonheur aux chiffres de son visiteur. Avant de commencer, il expliqua :

« Monsieur Crapaud, vous avez sur votre thème numérologique deux fois 1, deux fois 3, une fois 4, une fois 7 et une fois 9. Vous êtes donc un brillant 28. Je m'en vais confectionner pour vous le meilleur des gris-gris. Vous serez aimé et respecté par tout le monde, y compris par votre tante, et vous gagnerez autant d'argent que vous en voudrez. »

Sur ces entrefaites, une Cigogne à sac, qui vivait en mangeant des crapauds, entra sans se faire annoncer. Dès qu'il la vit, le Crapaud fit un bond et alla se cacher derrière le canari d'eau du Marabout. De là, il l'interpella tout doucement :

« Eh ! Marabout ! Avez-vous déjà "fermé" le carré ?

— Non, fit le Marabout, je suis tout juste en train de le commencer.

— Alors, arrêtez ! Toutes affaires cessantes, il faut le changer en carré de protection. Pour l'heure, ce n'est plus tant de gagner et d'être aimé que j'ai besoin, mais plutôt d'être sûr de n'être ni croqué ni avalé par votre visiteuse, car c'est elle qui a déjà exterminé tous les miens dans le marais. *On ne cherche à gagner que lorsqu'on n'est pas sur le point d'être "gagné" soi-même !...* »

La révolte des bovidés
ou le jour où les bœufs
voulurent boire du lait...

Légende peule (à peine) adaptée dans les termes, en fonction de certaines situations africaines... ou autres.

De par le vaste monde, en ces temps indéterminés où l'homme et les animaux parlaient un même langage, existait un certain pays recouvert de prés touffus et de grasses prairies, sillonné de rivières généreuses et intarissables, parsemé de collines aux versants plus doucement abaissés que l'arrière-train de l'hyène fauve.

Chose étonnante, ce pays très grand et très beau n'était peuplé que de bovidés. Les vaches, beaucoup plus nombreuses que les mâles, étaient toutes très bonnes laitières. Quant aux taureaux, ils portaient majestueusement au-dessus des épaules une protubérance pleine de graisse qui témoignait de leur opulence.

Le peuple bovin était administré par un roi. Celui-ci dirigeait bien les affaires de l'État. Il savait défendre ses sujets contre les fauves et contre les feux de brousse. L'étrange était que ce roi, bien qu'animal au même titre que les bovidés, n'appartenait pas à la même espèce. Ce n'était pas un ruminant. Il ne marchait pas sur quatre pattes, mais sur deux, tout comme l'autruche, la reine des vertébrés ovipares. Il différait cependant d'elle car son cou était moins long et sa tête plus grosse. Et tandis que, comme chacun sait, le corps de l'autruche est couvert de plumes, le sien était orné, par-ci par-là, de poils plus ou moins longs et plus ou moins abondants.

Avez-vous deviné qui était ce roi ? Non ? Je m'en vais donc vous le dire : c'était l'Homme, cet être énigmatique qui, dit-on, descend du singe et non d'Adam et Ève comme le veulent certains Livres sacrés ; cet être paradoxal qui, singe ou pas, aime plus que tout singer Dieu, cet anarchiste qui veut être obéi, cet ignorant de lui-même qui veut tout connaître autour de lui...

La légende ne dit pas comment les bovidés furent amenés à se donner l'Homme comme chef, ni, surtout, où ils l'avaient déniché. Elle ne dit pas non plus si ce chef était l'Homme qui descend du singe ou celui qui descend d'Adam et Ève. Elle nous met devant un fait accompli et, comme on dit, quand l'hydromel est déjà préparé, il ne reste qu'à le boire et à s'enivrer...

Le roi de l'État bovin avait pris son rôle à cœur et le jouait consciencieusement. Chaque matin, il emmenait son monde travailler au pâturage ; là, chacun faisait de la belle besogne à coups de dents, remplissant copieusement sa « panse-caisse » d'herbes ou herbacées grossièrement broyées. Puis, aux heures de repos à l'ombre des grands arbres ou la nuit au « parc-village », toujours sous les yeux de leur roi, les bovidés, perdus dans leurs rêves paisibles, parachevaient le travail de la journée en mastiquant avec application et à plaisir le contenu remonté de leur panse.

Tant que les bovidés se contentèrent de ce travail tranquille, broutant et ruminant à loisir, le lait coula abondamment dans les « calebasses-caisses » de l'État. Tout marchait à quatre pattes... autant dire tout allait à merveille !

Le roi engraissa. Ses fesses, ses joues et son ventre prirent une envergure telle qu'elle aurait frappé même l'œil le plus myope.

Comme tout peuple de la terre qui se respecte, les bovidés se mirent à lorgner avec humeur l'opulence de leur roi. Un taureau plein d'ardeur, grand meneur de bovins, entreprit une campagne en vue de modifier cet état de choses qu'il trouvait particulièrement injuste. Il harangua les veaux et les génisses. Il finit par obtenir la réunion d'une assemblée où il décida, au nom des veaux, vaches, génisses et taureaux, de présenter au roi une réclamation.

« Pourquoi, clamait-il, notre roi est-il le seul à se nourrir de lait alors que nous devons nous contenter de brouter l'herbe des prairies ? Nous voulons qu'il nous nourrisse également de lait, tout comme lui-même. Sinon, ce sera la révolte jusqu'à ce qu'il soit déposé purement et simplement ! »

Le lendemain de cette réunion mémorable, de bon matin, une manifestation monstre envahit le chemin qui menait chez le roi. La foule bovine avançait lentement, puissamment, beuglant sa colère, agitant oreilles et queues comme pour chasser des mouches importunes. Les mâles dandinaient de la tête pour bien attirer l'attention sur leurs cornes pointues, redoutables et meurtrières armes de charge.

Le roi sortit sur le devant de sa demeure :

« Quel est le motif de cet attroupement ? demanda-t-il.

— Te présenter une revendication.

— Je vous écoute.

— Eh bien, roi ! Nous en avons assez de vivre d'herbe. Nous voudrions, comme toi, vivre de lait. Il faut nous pourvoir de cet aliment ou tu ne seras plus notre chef. »

Le roi réfléchit un moment. Puis il dit :

« Mes amis, avez-vous bien pesé le pour et le contre de votre exigence, si j'y faisais droit ?

— Bien sûr que nous l'avons fait ! répliquèrent les bovins. Cesse de nous considérer comme des bêtes dépourvues d'intelligence qui ne savent que ruminer et non raisonner.

« Nous voulons du lait, et rien que du lait, parce que c'est un aliment complet. Grâce aux cinq vertus dont il a été doté par Allawalam, il assure la croissance de ceux qui débutent dans la vie et soutient, en réparant leurs forces, ceux qui sont au déclin de leurs jours. Les Peuls le classent en neuf catégories : trois qui nourrissent, trois qui guérissent et trois qui rendent malade. Nous avons découvert l'efficacité du lait. Il ne saurait donc plus être question que tu nous maintiennes au régime herbivore quand toi-même tu te nourris de ce breuvage divin ! »

Le calme est un guide sûr qu'aucun labyrinthe ne saurait égarer. Aussi le roi, devant cet événement imprévu, eut-il recours au calme, ce qui lui permit de réfléchir et de trouver une solution. Il dit :

« Soit ! Je ferai droit à votre doléance. Désormais je ne vous conduirai plus au pâturage. Vous resterez tous dans le parc et je vous nourrirai de lait. »

Les bovidés mugirent de plaisir. Le taureau-meneur, cabré fièrement sur ses pattes postérieures, beuglait à tue-tête :

« Nous avons réussi ! Et au diable les imbéciles qui ont peur de réclamer pour établir leur droit ! La gent bovine vient de remporter un succès éclatant contre l'injustice et la discrimination ! »

Pleinement satisfaits, vaches, taureaux, veaux et génisses regagnèrent la « cité-parc », accompagnés de

119

Monsieur Chien, chef de l'état-major de l'État bovin. Ce dernier, en son for intérieur, demeurait sceptique et goguenard. Pour lui, les bovins n'avaient pas les pieds sur terre ; ils prenaient leurs rêves pour la réalité.

Quand vint le soir et que le soleil s'inclina fortement vers le couchant, troquant son éclat vif-argent contre un doux rayonnement jaune d'or plus agréable à l'œil, le roi sortit et se dirigea vers le parc, muni d'une grosse écuelle en bois creusée dans un tronc d'arbre.

Il donna ordre au chien de rassembler toutes les vaches laitières. Alors, retroussant les pans de son boubou, il procéda à la traite de la première vache. Il partagea le lait ainsi obtenu en quatre parts : il garda pour lui et pour subvenir aux charges de l'État la première part ; il fit boire la seconde à la vache mère et servit la troisième au veau qui attendait. La quatrième part revint au reste du troupeau. Il fit ainsi le tour du parc, agissant pour chaque laitière comme il l'avait fait avec la première vache mère. En fin de compte, les taureaux n'eurent presque rien à boire.

Le deuxième jour, le roi procéda de la même manière. Le troisième jour, le cheptel mâle mourait presque de faim. Et les quantités de lait fournies diminuaient. Les taureaux se mirent à gémir : « Malheur à nous, nous allons tous périr ! »

Devant cette situation, le roi intervint. Il dit :

« Je n'ai fait qu'obtempérer à votre demande. D'où voulez-vous que je tire du lait, sinon du pis des vaches ? Quant à vous, taureaux, vous n'avez presque rien reçu parce que vous n'avez rien donné. »

Après réflexion, les bovidés révisèrent leur position. Ils demandèrent au roi la permission de reprendre le chemin du pâturage.

*

Un chef n'est pas une vache laitière, mais un berger qui doit savoir mener les laitières au pré.

Si les administrés veulent que le roi soit juste, ils doivent savoir quoi lui demander car, en fin de compte, c'est d'eux-mêmes que le roi tirera ce qu'ils exigeront.

Les trois choix du Marabout

Conte peul

Un marabout très pieux s'était retiré du commerce des hommes. Accompagné de son épouse, il était allé se réfugier dans une grotte située au flanc d'une haute montagne. Là, il priait nuit et jour, prenant peu de nourriture et ne s'accordant aucun plaisir. Dieu eut compassion de son ascète. Il envoya vers lui un ange du Ciel.

« Dieu te salue par ma bouche, dit l'ange.

— Loué soit mon Maître et Créateur ! répondit l'ascète.

— Dieu veut te plaire, reprit l'ange. Aussi te donne-t-il à choisir les trois choses qui te tiennent le plus à cœur. Il les réalisera pour toi. »

Le marabout s'en fut trouver sa femme. Il lui conta l'événement merveilleux qui venait de se produire et lui demanda ce qu'il fallait solliciter du Dieu Tout-Puissant. Or, l'épouse du marabout était une femme très laide. Elle dit à son mari :

« Avant toute autre faveur, demande à Dieu de me rendre belle, plus belle que la gazelle du désert, plus brillante que l'étoile du matin, plus souple que le roseau des rives fleuries du grand fleuve. Laide comme je le suis, je suis indigne d'un homme dont la piété a trouvé grâce auprès de Dieu. Ceux qui viendront baiser les traces de tes pas doivent me trouver à tes côtés telle une vraie houri du Paradis ! Quant aux deux autres choses à demander à Dieu, nous aviserons par la suite. »

Le Marabout revint auprès de l'ange et lui dit :

« Retourne auprès de mon Seigneur Dieu et dis-lui que je lui demande de recréer mon épouse sous l'aspect d'une femme belle et sans pareille. »

Dieu recréa la femme du marabout et en fit le prototype même de la beauté féminine.

Le lendemain matin, au réveil, quand la femme se vit dans son miroir, elle fut incapable de se reconnaître. Elle ne pouvait détacher ses yeux de sa propre image. Au bout d'un long moment, elle finit par revenir à elle. Aussitôt, elle ramassa en hâte toutes ses affaires et entreprit de déménager en ville.

Le Marabout, fort étonné, vit sa femme chargée de bagages quitter la grotte. Il lui demanda où elle allait :

« M'as-tu bien regardée ? répliqua la femme. Avec une aussi grande beauté, puis-je continuer à vivre dans une grotte aux côtés d'un homme dont l'âme ne redescend jamais sur terre ? Si tu veux que je reste ta femme, quitte ton ermitage et viens avec moi. Sinon, libre à moi d'aller me donner à qui saura profiter de mes charmes et me faire goûter les joies de la vie. »

Le Marabout abandonna sa retraite et suivit sa femme.

Une fois en ville, le ménage s'installa. La réputation de beauté de la femme ne tarda pas à parvenir aux oreilles du roi et de ses courtisans, si bien qu'en peu de temps la maison du saint homme devint un lieu de rencontres galantes. Le marabout était tenu à l'écart de ces réjouissances. A la fin, il fut même chassé de son foyer.

Honteux et confus d'avoir sacrifié ses nombreuses années d'ascèse et d'adoration aux caprices d'une femme, il retourna dans sa grotte. Il se souvint alors qu'il avait encore deux autres faveurs à demander. Mordu par la jalousie et le désir de se venger, oubliant le mérite attaché au pardon, il se mit en prière pour demander à Dieu de châtier son épouse ingrate et infidèle.

Dieu exauça sa prière.

Le lendemain matin, lorsque son épouse se réveilla dans sa jolie maison et qu'elle se contempla dans son miroir, elle se trouva transformée en un être difforme, si repoussant que même les chiens et les chats s'enfuyaient devant elle. Les soupirants désertèrent la maison dévergondée, et force fut pour la femme métamorphosée en monstre de chercher asile chez ses parents.

Ceux-ci, malgré toute la honte et la peine qu'ils éprouvaient de la conduite de leur fille, entreprirent des démarches auprès du marabout afin qu'il use de la troisième et dernière faveur qui lui restait pour faire recouvrer à son épouse sa forme initiale.

Le Marabout se laissa attendrir. Il se mit en prière, demandant à Dieu de redonner à sa femme son aspect naturel. Dieu l'exauça.

Une fois redevenue ce qu'elle était, la femme, toute contrite, dit à son époux : « Déjà, notre mère Ève a fait sortir notre père Adam du Paradis. Quant à moi, hélas, je t'ai fait gâcher les trois possibilités qui auraient pu faire notre bonheur dans ce monde et dans l'autre !... »

La rouerie féminine

Conte bambara

Tiémogo N'dji, un vieil homme qui exerçait les fonctions de juge dans son pays, avait pour épouse une femme modèle à tous points de vue. Jamais elle ne lui avait causé le moindre problème ! Son ménage marchait à la perfection. Considérant la conduite irréprochable de sa compagne, il en avait conclu que toutes les femmes étaient également douces, bonnes, foncièrement honnêtes et incapables de mentir.

Aussi, chaque fois qu'un homme et sa femme comparaissaient devant lui pour un litige, Tiémogo N'dji n'avait-il qu'une formule à la bouche : « Nous, les hommes, sommes des manants à l'égard de nos compagnes. Une épouse est une seconde mère pour son conjoint. Jamais elle ne cherchera quoi que ce soit qui ne soit pas le bonheur de son foyer ! » Et chaque fois la même sentence tombait : « Homme, tu n'as pas raison. Demande pardon à ta femme qui est une victime manifeste de tes humeurs capricieuses. Et si tu n'y consens, je me verrai obligé de t'administrer l'amende que tu mérites ! »

Cet état de choses dura des années.

Banyèba, l'épouse de Tiémogo N'dji – c'était décidément une femme bien méritante – , souffrait profondément de la partialité de son mari et de son injustice vis-à-vis des hommes. Un jour, elle lui dit :

« Maké [1] ! Tu as une confiance si aveugle en la probité des femmes et en la duplicité des hommes qu'aucun de ces derniers ne trouve jamais raison sur sa femme auprès de toi. Tu es là dans une erreur manifeste et ta partialité défigure ta sagesse. Souffre que je te le dise, tu es un mauvais juge. Tout le monde le pense et il est de mon devoir de te le révéler. Il ne faut pas cacher la vérité à quelqu'un que l'on aime.

« Vois-tu, moi que tu prends pour une sainte et que tu places au rang des anges, je suis fort capable de te jouer un tour si cruel que ton esprit se mettrait à en battre la campagne ! Il existe en effet, dit-on, trois immensités : celle de Massa-Dambali, Créateur de l'univers ; celle des plaines des espaces célestes ; enfin celle de la rouerie féminine.

— Allons ! Tu plaisantes là méchamment, ma mie, dit le vieil homme en souriant. Jamais tu ne saurais me jouer le plus petit tour, à plus forte raison un tour qui me ferait perdre l'esprit ! Aussi, je t'en conjure par l'amour que nous avons l'un pour l'autre, joue-moi donc un tour afin que je sois fixé sur l'envergure de cette rouerie que tu attribues à la femme ! » Puis il se tut. Banyèba n'ajouta rien non plus, et chacun vaqua à ses affaires.

Plusieurs mois s'écoulèrent. Tiémogo N'dji avait complètement oublié cet entretien.

Un jour, sa femme lui dit :

« Maké ! Que n'invites-tu pas cinq ou six notables

1. *Maké :* littéralement « mon Seigneur », mais c'est aussi un petit nom d'intimité.

de ton âge ? Voilà longtemps que je n'ai fait goûter de ma cuisine à tes camarades d'âge. J'ai terriblement envie de te plaire à travers tes amis, car leurs épouses, je le sais, font moins bien la cuisine que moi. Tu en tireras une fois de plus un motif de fierté.

— Ô Banyèba ! Puisse Massa-Dambali rafraîchir tes yeux ! Que leurs globes restent toujours gros et blancs ! Que ton "petit homme de l'œil [1]" soit toujours en parfaite santé ! Que tes iris aient toujours une couleur qui force l'admiration de ceux qui te regardent et qu'ils te permettent de voir aussi bien que la chauve-souris dans l'obscurité !

« Ô belle fille de Nya et de Nyélé [2] ! Pour répondre à ton désir, le jour qui suivra demain, j'inviterai six de mes amis les plus nobles et les mieux placés dans la hiérarchie de notre pays. Ce sont :

« – le grand Répond-bouche de notre Roi [3],

« – le grand Sacrificateur, Maître du couteau rituel,

« – le Gardien du tambour de guerre, chef des chevaux et commandeur des fantassins,

« – le grand Géomancien, interprète des oracles du dieu Komo,

« – le Maître Donso, chef suprême des battues et grand incantateur de la haute brousse,

« – enfin le Doyen des griots du Trône.

1. Le « petit homme de l'œil » est l'image de l'homme qui se reflète dans le miroir de la pupille. Ce « petit homme » est censé représenter l'âme même de l'œil, le principe de sa fonction. Quand il va bien, l'œil fonctionne bien. Quand il est malade ou meurt, l'œil meurt.
2. *Nya* et *Nyélé*, noms d'ancêtres féminines bambara que l'on cite pour dire de quelqu'un qu'il est bien né de race bambara.
3. *Répond-bouche :* sorte d'intermédiaire entre le roi (ou le noble) et ses interlocuteurs. Le roi, comme le veut la coutume, parle à voix basse. C'est le « répond-bouche » qui transmet ses propos à voix haute et qui lui retransmet les propos des tiers.

« En me comptant moi-même, nous serons sept, le nombre même des planètes qui influent sur la vie des trois règnes de notre univers. »

Le surlendemain matin, Tiémogo N'dji alla au marché. Il acheta un quartier de mouton très tendre ainsi que tous les condiments nécessaires. Puis, chargé de tout ce qu'il fallait pour banqueter à plaisir, il rentra chez lui et remit le tout à Banyèba. Il l'aida à découper la viande et à préparer la salle où les convives seraient reçus. Une fois les préparatifs terminés, il repartit en ville pour aller chercher ses invités.

Or, quand Tiémogo N'dji s'était rendu au marché, Banyèba l'avait fait suivre discrètement. Elle avait chargé un émissaire d'acheter exactement les mêmes denrées que son mari, puis d'aller déposer le tout dans une resserre.

Tiémogo N'dji ne s'était aperçu de rien. A son retour du marché, Banyèba avait tout apprêté sous ses yeux et les marmites s'étaient mises à bouillir sous l'action de feux bien entretenus. Mais à peine avait-il quitté la maison qu'elle avait éteint le feu, balayé la cuisine et remis la salle dans l'état où elle se trouvait avant les préparatifs. Elle avait fait disparaître le contenu des marmites, placé dans des calebasses les condiments achetés par son émissaire et suspendu à une traverse du plafond le deuxième quartier de mouton. Puis, serrant une bande de tissu autour de son front, elle était allée se coucher sur son lit où elle se mit à gémir et à grelotter comme si une fièvre de cheval lui ravageait les intérieurs.

Quand le soleil parvint au sommet de sa course et qu'il se plaça juste au-dessus du sommet des crânes, Tiémogo N'dji, qui avait fait une causette chez son vieil ami Noumouké jusqu'à l'heure du déjeuner, alla chercher ses six autres amis. Le groupe, tout réjoui, arriva au domicile du juge. Quelle ne fut pas la surprise de ce dernier lorsqu'il constata que non seulement la cuisine était sans feu mais que la pièce où il avait étalé lui-même des nattes pour ses invités était vide et jonchée de saletés ! Il crut rêver !

« Banyèba ! Banyèba ! » appela-t-il. Seul un silence de cimetière lui répondit.

Tiémogo se précipita dans la case de son épouse. Il la trouva couchée, suant à grosses gouttes, bavant et gémissant doucement. Il ressortit, l'expression hagarde comme s'il venait d'être subitement frappé de folie. Il secouait la tête, se mordait les doigts, monologuait : « Où suis-je ? Que vois-je ? Ce n'est pas possible ! Je ne suis pas fou ! »

Il revint vers ses amis, qui ne comprenaient rien à son bouleversement.

« Par Massa-Dambali, bégaya-t-il, je vous en conjure, ô mes bons amis, tâtez mes membres, examinez-moi par-devant et par-derrière, dehors et dedans, et dites-moi franchement si je suis bien Tiémogo N'dji, le grand Juge de Bafladougou ! Quant à moi, j'ai l'impression d'être vidé de moi-même. Il semble que mon corps contienne un autre être que le mien.

— Que se passe-t-il ? questionnèrent ses amis.

— Si je le savais, si je le pouvais, je vous le dirais, mes bons amis... Mais, à la vérité, je ne sais rien de ce qui se passe, ni même, en fait, où cela se passe. Certes, je ne suis pas chez un autre, et pourtant, apparemment, ici n'est pas chez moi. »

Sur ces entrefaites, Banyèba, se traînant sur les genoux, sortit de sa case et s'approcha des invités de son mari. Elle gémit :

« Combien je suis triste du malheur qui vient de me frapper en la personne de mon mari ! Seul un génie jaloux et malfaisant a pu lui jeter un mauvais sort pour le rendre ainsi subitement fou ! Je ne comprends pas qu'il vous invite à un déjeuner que je suis censée vous avoir préparé alors que, depuis une semaine, je suis clouée sur ma natte, côtes contre terre.

« Ce matin, il est rentré du marché chargé de viande et de condiments. Comme vous pouvez le voir, la viande est suspendue à une traverse et les condiments sont dans des calebasses. Puis il est ressorti brusquement en disant : "Je m'en vais chercher des guérisseurs pour te soigner." Et le voilà maintenant qui se présente à moi en votre compagnie, vous amenant comme invités à un déjeuner que j'aurais préparé !

« De grâce, mes amis ! Au nom de la camaraderie d'âge qui vous unit à mon époux, aidez-moi à l'enfermer dans sa case avant qu'il n'aille commettre au-dehors quelque bêtise irréparable. Un homme pris de folie subite est capable de tout. Or, c'est bien le cas de mon époux. »

Les six amis, voyant de leurs yeux non seulement l'état maladif de Banyèba, mais aussi le quartier de mouton suspendu à une traverse et les condiments dans les calebasses, ne doutèrent plus que Tiémogo N'dji eût la tête dérangée. Malgré ses protestations, ils se saisirent de lui et l'enfermèrent dans sa case.

Une semaine durant, Tiémogo N'dji passa pour un fou aux yeux de tous. Lui-même était sur la voie de se convaincre de sa propre folie.

Après le septième jour, Banyèba fit venir chez elle les six notables et leur expliqua tout ce qui s'était passé. « Si j'ai joué ce tour à mon mari, conclut-elle, c'est afin qu'il se détrompe et ne croie plus, désormais, que les femmes sont incapables de rouerie. »

Quand Tiémogo N'dji eut ainsi vérifié à ses dépens de quelle malice la femme était capable, il révisa sa position. A partir de ce jour, il cessa de condamner invariablement les hommes avant même de les entendre.

Pourquoi les couples sont ce qu'ils sont...

Légende peule

Savez-vous pourquoi l'homme de bien est souvent l'époux d'une femme sans mérite et la femme vaillante l'épouse d'un bon à rien ? C'est là un fait que nous constatons, mais dont les causes nous échappent. La légende peule, elle, nous en explique les raisons.

Quand Dieu eut fini de créer le genre humain, il distribua les vertus et les défauts chez les hommes comme chez les femmes.

Un jour, il fit venir auprès de lui toutes les femmes. Il leur dit :

« Ô Femmes ! Regardez à l'horizon et dites-moi ce que vous voyez.

— Seigneur, répondirent-elles, nous voyons un soleil radieux se lever sur la terre. Toute chose semble fêter son apparition. Au fur et à mesure qu'il s'élève droit dans le ciel, tout ce qui paraissait en train de mourir renaît à la vie. »

Dieu dit :

« Femmes ! Jusqu'ici vous n'avez connu que des moments pénibles dans la nuit des temps. Maintenant, il va falloir vous mettre en route pour aller au Paradis.

Des anges veilleront sur vous tout au long du chemin ; d'autres vous recevront à votre arrivée. Pas de découragement, pas de gémissements, et surtout pas de défaillance !

« J'ai été, je suis et je serai toujours Celui qui avertit. Aussi je vous annonce que des appartements somptueux et des bijoux d'une beauté incomparable vous seront distribués suivant l'ordre de votre arrivée. Les premières d'entre vous seront les mieux dotées ; elles auront la préséance en toutes choses. Je vous rappelle que le Paradis est un séjour éternel... seules les plus insensées d'entre vous se laisseront devancer.

« Ainsi averties, partez, ô Femmes, à la recherche de votre bonheur... »

Les femmes prirent la route. Leur longue cohorte s'étira et se mit à couler comme un bras de fleuve dont le cours va se rétrécissant. Les plus vaillantes conduisaient la file. Les anges se mirent à chanter pour elles.

Au terme du troisième jour, les indolentes n'en pouvaient déjà plus. « A quoi bon envier la gloire des "marcheuses" ? murmuraient-elles. Qui sait, au demeurant, le sort qui sera réservé aux premières arrivées ? Le Paradis est aussi vaste que l'ensemble des cieux. Les demeures y sont aussi nombreuses que les grains de sable de tous les fleuves et de tous les rivages réunis. Ne dit-on pas que, superposées les unes au-dessus des autres, ces demeures commencent aux abîmes et finissent presque au sommet du firmament ? Pourquoi donc courir et faire perdre à nos cuisses leur moelleuse rondeur ? Pourquoi suer et empuantir notre corps ? Allons doucement, mes sœurs, et conservons notre fraîcheur. Quand nous parviendrons au Paradis, il y aura toujours une demeure pour chacune d'entre nous. Et même si les premières sont logées dans des pièces somptueuses, la marche forcée aura fait fondre leur chair. Leur aspect squelettique ternira la beauté de leurs demeures et le brillant de leurs parures. »

Ayant ainsi parlé, les femmes indolentes se mirent à traîner le pas comme des canes trop grasses. Pour soutenir leur marche de caméléon fatigué, elles entonnèrent un chant :

Pourquoi nous presser, pourquoi nous lamenter ?
Pourquoi pousser des cris ? Oui, pourquoi ?
Qui va vers le Paradis
ne va point vers une terre aride
où l'hyène s'empare du cabri,
où le chat de brousse pille la basse-cour.

Paressons sur le chemin,
interrogeons les tables[1] des Cieux.
Nous saurons que la question énigmatique :
« Qu'est-il arrivé ? »
a été posée à l'intention des femmes qui courent
comme court une biche pour échapper au chasseur.
Paressons sur le chemin,
interrogeons les tables des Cieux...

Trois jours après le départ des femmes, Dieu dit : « Voilà trois soirs et trois matins que les femmes sont en route. Lançons leurs mâles après elles. »

Dieu fit alors venir l'ensemble des hommes. Il leur dit :

« Il n'est pas bon qu'un mâle demeure sans femelle. Aussi ai-je créé à votre intention des compagnes. Elles sont déjà parties en direction du Paradis. Elles ont trois soirs et trois matins d'avance sur vous, mais je vais vous rendre trois fois plus vigoureux qu'elles et vous vous lancerez à leur poursuite.

« Chacun d'entre vous, ajouta Dieu, aura pour

---

1. Les tables, ou tablettes, où sont censées être écrites toutes choses. Autrement dit, les archives célestes.

épouse la femme qu'il trouvera sur sa route, et il ne pourra en avoir qu'une [1]. Ceux qui traîneront en chemin risquent donc de rester sans compagne. Ce sera tant pis pour eux. Je les condamnerai au célibat, ils ne connaîtront ni la joie du foyer ni le privilège de la procréation, ils ne seront pas des agents continuateurs de leur espèce. La semence que j'ai placée en eux y demeurera comme un grain desséché. Je renfrognerai mon visage pour eux, ils en seront fort accablés [2]... »

Les hommes prirent la route. Ils avançaient en chantant :

Chaque être a une origine,
chaque métal a une mine,
chaque fait a une cause.
Si Guéno, l'Éternel, nous met sur le chemin
qui mène à nos épouses,
à cela il est une cause.

Celles qui seront nos femmes
sont, dit-on, belles et bien faites.
Elles sont passionnées sans dévergondage

1. Dans cette légende peule, Dieu, à la création du monde, institue la monogamie pour le genre humain. Cela est conforme à la tradition d'origine des Peuls rouges (Peuls pasteurs) qui n'avaient qu'une seule épouse. Les difficultés de la vie pastorale se prêtent mal, en effet, à la polygamie. Celle-ci, finalement, est plutôt un phénomène citadin (ou de vie sédentaire) lié à la fortune.
On cite l'exemple du lion qui, bien qu'étant le « roi de la brousse », figure parmi les plus pauvres puisqu'il peut parfois rester dix jours sans rien trouver à manger. Or il n'a qu'une compagne, alors que l'outarde, qui trouve partout des graines à picorer, en a toujours plusieurs...
2. Le célibat a toujours été très mal jugé dans l'Afrique traditionnelle. L'homme non marié y était considéré comme mineur, quel que soit son âge, et sa parole ne pesait pas dans les assemblées publiques.

et passionnantes sans perversion.
Elles mettront fin à la peine
qui enténèbre nos cœurs.

Allons, marchons avec vigueur vers le Paradis !
Nous y trouverons nos épouses,
nous y vivrons dans la sagesse !
L'Intelligence divine s'y élève
comme une montagne gigantesque
dont on extrait des métaux précieux
pour orner le front des vaillants et des sages.

Allons, marchons avec vigueur vers le Paradis !
Nous y vivrons dans la sagesse,
dans la sagesse, dans la sagesse !...

Après quelques heures de trajet, les hommes se divisèrent en trois groupes :
— les Hammadi-Hammadi en tête,
— les Hammadi au milieu,
— les Haman-ndof à la queue [1].
Les femmes, elles aussi, s'étaient réparties en trois groupes :
— les Mantaldé en tête,
— les Santaldé au milieu,

---

1. *Hammadi-Hammadi* : on appelle ainsi l'homme de grande renommée et de grande valeur pour sa famille, pour son quartier, son village et le pays tout entier. Quand il se déplace, non seulement son logeur bénéficie de sa réputation, mais le quartier, le village et tout le pays savent qu'il est venu.
Hammadi : c'est un homme de valeur, mais sa valeur se limite à sa famille, son quartier et son village. Quand il se déplace, on connaît sa venue dans les limites du village.
Haman-ndof : on dit que, s'il s'absente, même sa famille ne s'aperçoit pas de son départ ; et s'il part en voyage, même son logeur ne s'aperçoit pas de sa venue.

— les Mantakapous à la queue [1].

Le groupe des Hammadi-Hammadi, composé d'hommes brillants, sages, entreprenants et courageux, tomba sur le groupe des Mantakapous, c'est-à-dire les dernières des femmes dans l'ordre de la valeur féminine. Ignorant que les femmes supérieures étaient en avant, ils choisirent leurs épouses parmi les Mantakapous.

Les Hammadi, groupe des hommes moyens, tombèrent sur les Santaldé, femmes également moyennes quant à la valeur. Ils prirent leurs épouses parmi elles.

Pendant ce temps les Mantaldé, femmes de grande valeur, avaient devancé leurs compagnes des deux premiers groupes et étaient déjà parvenues aux portes du Paradis. Des anges vinrent les saluer et leur présenter des souhaits de bienvenue. Quand elles voulurent franchir le seuil, les anges les arrêtèrent : « Pardon, Femmes, mais vous êtes encore des "moitiés". Or une moitié est quelque chose d'incomplet, donc d'imparfait, et l'imparfait n'a pas de place au Paradis. Attendez que chacune d'entre vous ait un mari pour se compléter. Alors vous entrerez par couples, c'est-à-dire par unités humaines parfaites. »

1. *Mantaldé :* c'est l'épouse aux très grandes qualités, qui peut tenir lieu de mari, qui peut éventuellement gagner la vie de la famille, qui peut tout faire par elle-même.
Santaldé : c'est une excellente mère de famille et une bonne ménagère. Quand son mari apporte une chose à la maison, elle sait l'entretenir et en tirer parti, mais elle ne cherchera rien et ne gagnera rien par elle-même.
Mantakapous : c'est la femme qui non seulement ne sait rien gagner par elle-même, mais qui, si le mari apporte une chose à la maison, la gâche. Si on ne lui donne rien, elle pousse des cris. Si on lui donne quelque chose, elle dit que ce n'est pas assez. C'est celle qui se plaint constamment et qui ne fait jamais rien de bon.

Avant que les femmes soient revenues de leur surprise, les Hammadi-Hammadi se présentèrent, accompagnés de leurs épouses les Mantakapous. Les anges s'écrièrent : « Quel mystère ! Sont-ce celles-là que Dieu vous a réservées pour compagnes ? »

Les Hammadi arrivèrent à leur tour, flanqués des Santaldé.

Enfin les Haman-ndof, les derniers des hommes, parvinrent aux portes du Paradis, les mains vides. Force fut aux femmes supérieures Mantaldé de se donner à eux pour pouvoir entrer dans le Séjour céleste.

Et voilà comment les premiers des hommes eurent en partage les dernières des femmes, et comment les premières des femmes tombèrent aux mains des derniers des hommes !

Une fois dans le Paradis, les hommes supérieurs vinrent se plaindre à Dieu. En accord avec les premières des femmes, ils réclamèrent une réparation. Dieu dit :

« Je ne refuse pas un droit à celui qui le mérite. Mais l'intelligence de mes actes n'est pas toujours à votre portée.

« Femmes vaillantes classées bonnes premières, acceptez de bon cœur les hommes de peu de valeur. Et vous, hommes distingués, souffrez à vos côtés les femmes paresseuses et vulgaires. J'en ai décidé ainsi par sagesse et prescience. Si je mettais toutes les valeurs d'un côté et toutes les non-valeurs de l'autre, les affaires du monde iraient de travers, comme une charge mal répartie sur le dos d'un bœuf porteur. Il n'y aurait ni équilibre ni stabilité. A chaque tournant, les charges basculeraient d'un seul côté et votre univers serait encore plus difficile à diriger qu'il ne l'est présentement.

« Tels que vous vous trouvez accouplés, les hommes

valeureux empêcheront les femmes indolentes de tomber dans des mains dures qui ôteraient toute souplesse à leurs paupières [1], et les femmes dignes et sages serviront de refuge aux hommes diminués auxquels elles sont unies par le mariage.

« J'ai tout réglé selon une mesure dont je suis seul à connaître le mystère.

« Ne vous ayez plus en haine. Ne vous repoussez pas les uns les autres sous prétexte que vos valeurs et vos états sont inégaux.

« Aimez-vous les uns les autres, surtout entre femme et mari. Et proclamez que parmi les choses qui me plaisent, à moi Dieu, l'entente parfaite entre époux figure au premier rang ! »

*

---

1. A force de les faire pleurer.

Origine légendaire de l'éclipse

Légende bambara

N'Gala[1] créa le ciel et la terre. Puis il créa le jour et la nuit. Il fit du jour le royaume de *Tlé*, le Soleil. Il dota cet astre de nombreuses vertus, le sacra Roi et fit de son nom un symbole de force et de gloire.

Quant à la nuit, elle devint l'empire de *Kalo*, la Lune, astre féminin au caractère capricieux et dont le nom se confond aisément avec celui de « mensonge »[2].

Le Soleil épousa la Lune, Reine des nuits. Après treize jours d'union, la Lune, comme prise de remords, voulut quitter son royal époux. Elle désirait retrouver ses sept amants : un occultiste qui se nourrissait de rate crue, un riche propriétaire terrien qui vivait de foie et

---

1. *N'Gala*, ou *Mâ-N'gala*, est, en bambara, l'Être suprême, l'Être-Un, Créateur de toutes choses. Dans un chant du Komo (tradition initiatique bambara), il est dit :

Mâ-N'gala, c'est la Force infinie.
Nul ne peut le situer
ni dans le temps ni dans l'espace.
Il est *Dombali* (l'Inconnaissable),
Dambali (l'Incréé-Infini).

2. Le mot *kalo* signifie à la fois « lune » et « mensonge », avec une petite différence dans la prononciation du « l ».

de lait de grenouille, un guerrier monopode qui, chaque jour, avalait une calebassée de bile de lion, un prince somptueux qui résidait au sein de la terre dans une île de feu, un vieux magicien doté de trois yeux, un voyageur merveilleux qui franchissait les plaines célestes monté sur une tortue ailée, et, enfin, le plus aimé des sept : un jouvenceau dont les membres inférieurs étaient en métal.

La Reine Lune réussit à tromper les sentinelles qui la gardaient. Se faufilant à travers les amas de nuages, elle rejoignit son royaume. Le Soleil ne vit pas en mal l'escapade de sa femme ; pour lui, ce n'était là qu'un caprice éphémère. Aussi se mit-il en route pour aller au-devant d'elle. Chemin faisant, il rencontra *Sigui-lolo*, l'Étoile du buffle. Celle-ci le mit indiscrètement au courant de son infortune.

Rendu furieux par la jalousie, le Soleil darda ses rayons sur les ténèbres. Il aperçut nettement son épouse, assise au milieu de ses amants. Il s'élança afin de la saisir et de l'étrangler, mais la Terre, perverse entremetteuse au service de la Lune et de ses compagnons, s'interposa entre la Reine vagabonde et son mari déshonoré.

Le Soleil, fou de rage, jura de fendre la Lune en deux. Pour ne pas la manquer, il se plaça sur la route qu'elle devait emprunter pour regagner le domicile conjugal. Quand son épouse croisa son chemin, cette position déclencha sur la Terre une obscurité dont tout laissait à penser qu'elle serait perpétuelle. Ce fut la première éclipse : *Kalo mina*, ou « prise de la Lune ».

Les hommes furent envahis par la panique. Pour eux, l'obscurité était le symbole même de la mort, car c'est d'obscurité que s'enveloppent les sorciers et les mauvais génies quand ils jettent les sorts maléfiques.

Moriba, qui était le Sacrificateur de son peuple, ordonna à tous les Fils d'Adam de se vêtir d'habits ridicules et d'accomplir des actes stupides, par exemple piler de l'eau dans un mortier, chevaucher une monture la face tournée vers la queue, et autres choses de ce genre.

Moriba lui-même, recouvert de haillons piqués de plumes d'oiseaux de toutes sortes, se mit à danser au milieu de la foule. On pouvait voir des hommes portant attachés dans leur dos, à la manière des femmes, qui un petit chien, qui un agnelet, qui un chevreau ou un coq. Quant aux femmes, elles s'étaient affublées de longues barbes et brandissaient des fusils de bois, parodiant avec outrance les attitudes masculines. Cette cohorte bizarre était précédée d'une troupe d'enfants qui tapaient de toutes leurs forces sur les ustensiles les plus divers et chantaient à tue-tête des couplets aux paroles insolites, par exemple :

> *Diakuma ye Kalo mina*
> *Moriba ye don min fo*
> *N'tumu de ye sama ba bin*
> *Dimogo ye badji ban*
> *Le chat a pris la Lune.*
> *Le jour annoncé par Moriba,*
> *un ver a fait tomber un grand éléphant,*
> *une mouche a bu toute l'eau du fleuve [1].*

1. Dans les villes nouvelles comme Bamako, par exemple, non seulement la cérémonie animiste se perd complètement, mais la cérémonie musulmane elle-même, qui voulait que les fidèles psalmodient individuellement à haute voix des versets coraniques appropriés, se réduit à la récitation de la formule *Lâ ilâha ill'Allâh* (Pas de dieu si ce n'est Dieu), généralement chantée en chœur par des enfants qui se sont habillés à l'envers (pantalon à la place de la chemise, chaussures sur la tête, etc.) et qui entrecoupent leur chant de vacarme en tapant sur tout ce qui leur tombe sous la main. Les chants et le tapage continuent pendant toute la durée de l'éclipse.

Cette mascarade n'avait d'autre but que de détourner l'attention du Soleil afin que la Lumière, mère du jour, puisse passer.

Le Soleil, voyant la foule travestie exécuter des mouvements désordonnés et cocasses, fut pris d'un grand rire. Il évacua le chemin et dit : « Lumière, passe ! » La Lune en profita pour se faufiler et regagner son logis.

Quand le Soleil se rendit compte que la Lune était passée en même temps que la Lumière, il en fut très vexé. Il se lança à la poursuite de son épouse à travers les pièces de leur vaste demeure. Depuis lors, cette course n'a jamais cessé. Et chaque fois que le Soleil est sur le point de mettre la main au collet de la dévergondée, la Terre vient se placer entre les deux pour recouvrir la Lune de son ombre et aveugler le Soleil.

Satan et Martakoumpa

Conte peul

Martakoumpa venait de terminer brillamment ses études coraniques. Le jour de son départ, une impulsion soudaine le poussa à demander à son Maître une faveur : lui livrer la clé magique qui permet de communiquer avec Satan.

Le Marabout fut fort attristé par cette demande, car il ne pouvait la repousser. Un jour, en effet, il avait solennellement promis à son élève de lui accorder la première faveur qu'il solliciterait à la fin de ses études, au moment de la séparation. A contrecœur, il lui enseigna donc l'alphabet secret, les clés magiques et les litanies rituelles qui contraignent Satan à apparaître aux yeux de celui qui l'invoque.

Choisissant un jour propice, Martakoumpa confectionna un carré magique dans les règles requises. Puis, de grand matin, il se rendit au marché du village, invoqua le diable et attendit.

Voici qu'un vieillard nain, borgne, bossu et tout vêtu de noir se présenta sur la place du marché, qui était encore entièrement vide. Il étala sur toute l'étendue de la place un vaste filet agencé comme une toile d'araignée, puis disparut.

Peu à peu, les commerçants et les commerçantes arrivèrent. Ils installèrent leurs marchandises. Sans le savoir, chacun avait pris place dans l'une des mailles du filet invisible.

A leur tour, les clients commencèrent à affluer. Les ventes démarrèrent. En peu de temps, la place fut emplie d'une foule bourdonnante et affairée.

Le petit vieillard borgne réapparut soudain aux yeux de Martakoumpa. Il tenait à la main une vieille calebasse tout emplie de sang. S'approchant d'un groupe de femmes qui discutaient le coût d'une denrée, il plongea une baguette fourchue dans le contenu de sa calebasse et l'agita un peu. Puis, soulevant la baguette maculée de sang, il la secoua devant le visage de l'une des femmes. Elle reçut dans l'œil une goutte de ce sang invisible. Aussitôt, elle s'en prit à l'une de ses compagnes qui venait de lever le bras pour ramener sur son épaule le pan de son boubou.

« Imbécile ! s'écria-t-elle. Tu as introduit ton doigt dans mon œil. Sers-toi donc avec plus d'attention de la longue branche maladroite qui te sert de bras ! »

Consciente de n'avoir pas touché sa voisine, la femme injustement accusée riposta avec la violence d'une panthère blessée :

« Espèce de mégère aux fesses disproportionnées et puantes, ferme la mangeoire qui te sert de bouche ou je vais, avec ce bracelet qui vaut plus que ton prix, réduire tes dents en grumeaux de couscous !

— Truie aux dents branlantes, langue de vipère affamée ! Si tu essaies de me briser les dents, moi je te ferai vomir tout ton sang non par la bouche mais par les narines ! »

Satan, tout content d'avoir amorcé une bagarre, voulut corser l'affaire. S'approchant des deux femmes, il marcha malignement sur le pied de celle qui avait déjà cru recevoir un doigt dans l'œil. Cette dernière, toujours sous l'effet de la mystification satanique, vociféra de plus belle :

« Ah ! Chienne à la queue écourtée ! Non contente de m'avoir plongé ton doigt dans l'œil, voilà maintenant que tu m'écrases le pied avec tes pattes de vieille jument galeuse. Tiens ! Voilà pour t'apprendre à vivre comme il faut ! » Et elle assena à sa compagne une gifle retentissante.

Les deux femmes se jetèrent l'une sur l'autre. Elles s'empoignèrent au point de s'emmêler dans leurs boubous. Perdant l'équilibre, elles allèrent s'écrouler sur les calebasses pleines d'épices d'une marchande. Celle-ci, furieuse, les roua de coups en les abreuvant d'injures. Une amie de l'une des deux femmes s'en prit à la marchande et, à son tour, l'insulta gravement.

« De quoi te mêles-tu ? répliqua la marchande. Ces deux ânesses sans oreilles cassent mes calebasses et répandent à terre mes provisions, et tu voudrais peut-être que je les masse avec du beurre parfumé ?... »

Les deux femmes luttaient toujours corps à corps. La foule s'émut. Les gens s'attroupèrent. Chacun expliquait à l'autre l'événement à sa manière.

Satan s'en alla réveiller deux chiens qui dormaient dans un coin du marché et les poussa contre la foule. Les chiens arrivèrent au galop, aboyant et menaçant de déchirer tout le monde. Se rendant au bout de la place, Satan, aidé par ses auxiliaires, tira brusquement sur le filet, ce qui ébranla tout le marché. La foule fut tout à coup comme prise de panique. Sans savoir pourquoi, les gens se mirent à fuir dans toutes les directions. Les provisions et les marchandises appartenant à des vendeurs différents furent mélangées. Des fuyards tombaient, certains furent blessés, d'autres eurent leurs habits déchirés.

Après une heure d'un désordre indescriptible, on

parvint enfin à rétablir le calme grâce à l'intervention de quelques marchands vénérables qui, eux, n'avaient ni perdu leur bon sens, ni trempé dans la bagarre. Les activités reprirent.

Vers midi, Satan reparut encore. Cette fois, il se plaça à côté d'un marchand de bijoux dont les articles étaient étalés sur une natte. Il posa son pied sur une bague, la soustrayant ainsi à la vue du vendeur au moment même où un client, qui venait de se baisser, était en train d'examiner des parures en vue d'en acheter une. Le marchand, ne voyant plus la bague, s'alarma. Il la chercha vainement. Satan lui suggéra l'idée que le bijou avait été dissimulé par le client. Aussitôt que cette idée lui eut traversé le cerveau, le vendeur s'écria sans réfléchir davantage :

« Où as-tu mis la bague qui était posée là ? »

Le client, blessé dans son amour-propre, se prit de colère :

« Que veux-tu insinuer ? Où veux-tu que je mette ta bague ? Et que veux-tu que j'en fasse ?

— Tu l'as empochée et tu veux faire l'innocent, répliqua le marchand. Je te ferai pisser ce bijou, espèce de mal éduqué et de malhonnête homme ! »

Sur ce, le marchand se saisit du client et tous deux se mirent à vociférer.

Pour compliquer encore les choses, Satan leva son pied de dessus la bague. Aussitôt, un badaud l'aperçut et s'écria : « Ohé ! Ne vous malmenez pas davantage, voici la bague. Elle était effectivement à sa place. »

Le marchand, confus, voulut s'excuser, mais le client n'était pas d'humeur à se calmer. Au lieu de l'écouter, il prit le marchand à bras-le-corps et, d'un tour de hanche, le souleva et le projeta à terre, lui fracturant un bras.

La foule accourut. Des gardes chargés de la police du marché se précipitèrent pour arrêter le client. Celui-ci, furieux, refusa de se rendre et résista de toutes ses forces. Les gardes durent s'y mettre à trois pour tenter de le saisir. Il fit alors un bond de côté, s'empara d'un couteau qui était exposé sur un proche étalage et blessa l'un des gardes à la hanche. Les deux autres parvinrent enfin à le maîtriser. On l'emmena de force.

Satan, un sourire de satisfaction aux lèvres, se dirigea alors vers un groupe de tailleurs, visiblement décidé à leur jouer un mauvais tour. Il mélangea des fils, en cassa d'autres, piqua un tailleur qui accusa son voisin... Quand le désordre fut à son comble, satisfait, il s'éloigna.

Martakoumpa, excédé par tout ce qu'il venait de voir, s'approcha de Satan et lui donna une gifle si violente que celui-ci en tomba sur son derrière.

Satan, qui ne se savait pas repéré et filé depuis le matin par Martakoumpa, s'étonna, puis il dit sans colère :

« Dis donc, toi, si tout le monde me traitait ainsi, je ne durerais certainement pas jusqu'à la fin du monde comme le prévoient les clauses de mon traité avec l'Éternel ! Pourquoi me frappes-tu ?

— Je te frappe parce que je ne peux souffrir que tu continues de semer la bagarre entre les hommes, en profitant de ta faculté de te rendre invisible.

— Non pas ! répliqua Satan. Tu m'as frappé parce que tu sais que tu as quatre-vingt-dix ans à vivre, et que je n'ai aucun empire sur toi pour l'instant. Sache, en revanche, que ces gens que je dresse les uns contre les autres ne sont pas des âmes affranchies de ma tutelle. En réalité, je n'ai aucune prise sur ceux qui diviseront leur vie en deux parties, consacrant la première au libertinage et aux jouissances matérielles de toutes sortes et la seconde à l'adoration et à la mortification.

« Or, à ce que je vois, ta vie à toi n'est constituée que d'une période unique que tu consacres à l'adoration et à la mortification. Je n'en suis pas fâché, car ainsi je suis sûr d'avance que, finalement, je te posséderai. Alors tu me paieras cher cette gifle ! Il ne me reste plus qu'une prière à adresser à Dieu : que tu n'aies jamais l'idée de diviser ta vie en deux périodes pour échapper à ma tutelle !

— Vieux borgne "mauvais suggestionneur [1]" ! s'exclama Martakoumpa. Pour une fois tu as perdu ! Puisque je sais comment éviter tes griffes, tu ne m'auras jamais !

— Que vas-tu faire ? demanda Satan en affectant un ton attristé et désemparé.

— Ôte-toi de ma vue, fit Martakoumpa. Je sais ce qu'il me reste à faire et tu verras qu'au moins une fois un humain aura su déjouer tes tours. »

Puis il se dit en lui-même : « Voyons ! Je sais maintenant que j'ai quatre-vingt-dix ans à vivre ; or, je n'en ai vécu que trente ; il m'en reste donc soixante. Pour échapper à la tutelle de Satan, je vais diviser le temps qui me reste à vivre en deux périodes. Je vivrai d'abord quarante-cinq ans dans la jouissance matérielle et le libertinage, tirant du monde temporel tout ce qu'il peut donner ; puis, à soixante-quinze ans, je me repentirai et reviendrai à Dieu. Les quinze dernières années de ma vie seront consacrées à Dieu comme l'ont été les trente premières. Ainsi ma vie à venir se trouvera-t-elle divisée en deux périodes : l'une de libertinage et l'autre d'adoration. »

Le lendemain même, Martakoumpa commença à fréquenter les sociétés les plus dévergondées. Avec son entêtement habituel il resta sourd à tous les sages conseils comme à toutes les mises en garde contre les ruses de Satan. Il abandonna sa foi et toutes ses œuvres de charité, vivant dans l'état de péché majeur : l'état de rébellion contre Dieu. Après sept années de cette vie, il mourut d'un brusque arrêt du cœur.

1. Surnom islamique de Satan.

Juste avant qu'il ne rende l'âme, Satan lui apparut, suivi d'un cortège d'anges infernaux. « Je t'ai possédé, mon pauvre étourdi, lui dit-il. Je t'ai tendu un piège et tu y as donné la tête la première. Rends donc ton âme entre mes mains. Je te l'annonce, l'enfer sera ton séjour éternel. Tu y vivras en grinçant des dents et en gémissant sur ton malheur, car celui-ci n'aura pas de fin. »

*

Frère, sache qu'en toute circonstance mieux vaut garder son calme et ne point se laisser emporter par ses soupçons, car les apparences sont parfois trompeuses...

Sache-le aussi, la prudence commande de ne pas se fier à son seul savoir pour croire que l'on peut affronter n'importe quoi. La présomption, l'entêtement et la curiosité malsaine ont conduit plus d'un à une triste fin.

Enfin, garde-toi de toute intervention impulsive et irraisonnée. Martakoumpa frappe Satan, mais il paie ce geste irréfléchi de son âme. Avant d'intervenir dans une affaire, mieux vaut mesurer ses propres forces et, surtout, ne pas se croire assuré de son destin.

Satan et la « foire catastrophe »

Conte peul

Un jour néfaste – c'était le dernier mercredi du mois lunaire – Miandafou apprit qu'une Foire-Catastrophe allait se tenir au pied du coteau rouge, dans la plaine dite des « fous-lucides ». Il résolut d'y assister, curieux de savoir quelles sortes de marchandises y seraient offertes ; curieux, aussi, de voir qui serait assez malavisé pour se rendre à pareille foire où, sans nul doute, ne pourraient s'acquérir que malheurs, malchances et autres calamités ! Arrivé très tôt sur les lieux, il se cacha dans le creux d'une termitière qui s'élevait tout près de la place du marché.

Le soleil prit peu à peu de la hauteur dans le ciel. Bientôt, telle une fournaise ardente, il répandit partout une chaleur infernale.

Miandafou attendait depuis des heures, et il ne voyait toujours personne venir. Tout à coup, il vit s'élever dans l'atmosphère, au-dessus de la place, un immense nuage de poussière, comme si toute une armée montée manœuvrait sur les lieux. Il se demanda ce qui pouvait soulever cette étrange poussière, car il avait beau écarquiller les yeux, il ne voyait personne.

C'est alors qu'un lézard sortit sa tête d'un petit trou

creusé au flanc de la termitière. Il dit : « Ô Miandafou !
Trouve-moi une sauterelle et je te donnerai le moyen
non seulement de voir la foire, mais d'approcher son
organisateur et de lui parler. »

Miandafou ne mit pas longtemps à trouver une sauterelle. Il la remit au lézard. Celui-ci l'éventra et la
mangea, après quoi il cracha une goutte de salive dans
la main de Miandafou.

« Frotte-t'en l'œil gauche en te servant de ton auri-
culaire gauche, lui dit-il, et tu verras ce que tu verras ! »

Miandafou s'exécuta sans se faire prier. A peine
avait-il fini de se frotter l'œil gauche qu'il discerna,
assis au milieu de la place, un être d'apparence
humaine, quoique difforme et extrêmement bizarre.
Son menton était orné d'une barbe de bouc. Une
queue-de-cheval pendait au bas de son dos et il se
tenait sur une jambe unique en forme de spirale, que
terminait un sabot de cochon sauvage. Non loin de lui,
Miandafou aperçut trois énormes tas de marchandises,
constitués chacun d'un grand nombre de paquets.

Cet être bizarre à la barbe de bouc – et qui n'était
autre qu'une incarnation de Satan ! – se déplaçait d'un
tas de marchandises à l'autre en tournoyant sur sa
jambe spiroïdale, tel un tourbillon d'air. C'était d'ailleurs ce qui soulevait le nuage de poussière. De temps
en temps il regardait autour de lui, l'expression un peu
inquiète, comme quelqu'un qui a donné un rendez-
vous et qui ne voit pas venir à l'heure celui qu'il
attend.

Miandafou avança tout près de Satan. Celui-ci, fort
étonné de le découvrir tout à coup à ses côtés, s'écria
avec colère :

« Comment as-tu fait pour rompre le charme qui me
soustrait à la vue des mortels ? Ne serait-ce pas un
certain petit lézard de la termitière grise qui t'a procuré, moyennant une sauterelle, une goutte du philtre

qui permet de me voir et de m'approcher ? Ah ! Quel traître ! »

Au lieu de répondre à la question de l'unijambiste, Miandafou l'interrogea à son tour :

« Peux-tu me dire, homme étrange, quelle est cette bizarre Foire-Catastrophe et quelles marchandises tu espères y vendre ?

— Ô Miandafou ! fit le diable. Je suis venu à cette foire afin d'y vendre trois sortes de marchandises. Selon leur espèce, elles sont assemblées dans les trois tas que tu vois là.

— Sans doute, je vois bien les trois tas, mais tu ne m'as pas dit de quelles marchandises il s'agit. Ce qui m'étonne, c'est que je ne te vois les offrir à personne, et personne non plus ne vient t'en demander le prix, ne serait-ce que par curiosité.

— C'est que tout le monde ne me voit pas ! fit le diable. Et puis mes marchandises ne sont pas des articles courants à l'usage du commun. Ce premier tas que tu vois contient l'*ingratitude*, la propension à ne jamais savoir gré de rien à personne. Le deuxième contient l'*envie*, plus exactement le déplaisir que l'on éprouve à voir un autre réussir. Enfin le troisième contient l'*obstination butée* et tout ce qui pousse un homme à braver par orgueil un péril sans nécessité réelle [1].

— Alors, tu risques de faire de mauvaises affaires ! s'exclama Miandafou en riant. Je ne vois pas, en effet, qui serait assez imbécile pour t'acheter de tels articles, aussi peu recommandables les uns que les autres !

— Détrompe-toi, fit le diable. Mes marchandises sont retenues par avance. Avant longtemps, tu verras des acquéreurs très distingués venir en prendre possession. »

1. C'est là un trait de caractère de l'ancienne noblesse africaine : par pure crânerie ou bravade, et sans que rien ni personne puisse les faire changer d'avis, bien des hommes s'exposaient à la mort pour des motifs futiles.

En effet, quelques instants plus tard, une femme élé-gamment parée, accompagnée d'une foule de servi-teurs, se présenta : « Bonjour, Longue-Barbe [1], dit-elle, je viens prendre livraison de mon achat. »

Satan désigna le premier tas : « Vérifie s'il ne manque rien et enlève le tout. »

La belle dame examina minutieusement les paquets, les déclara complets et en parfait état et les fit enlever, non sans avoir remercié Satan comme il se devait. Puis elle s'en alla.

Après son départ, un vénérable marabout, entouré de ses adeptes, avança vers l'étalage. « Je viens chercher mon emplette », dit-il. Satan lui désigna le second tas. Le marabout examina soigneusement les paquets et les fit charger par ses adeptes. Comme la femme, il remer-cia chaleureusement Satan de ses bons offices, puis s'en retourna.

Enfin, beaucoup plus tard arriva un grand roi, accompagné d'une suite nombreuse. Il réclama sa commande à Satan, qui lui désigna le dernier tas de paquets. Le roi fit tout enlever par ses serviteurs, présenta ses compliments au diable et s'éloigna.

Quand la place fut redevenue vide, Satan se tourna vers Miandafou :

« Toi qui m'as vu vendre ces calamités, si tu veux connaître l'usage qui en est fait, va et parcours la terre. En maints endroits tu verras la femme emplie d'ingrati-tude, n'éprouvant de reconnaissance envers son époux que d'une façon accidentelle ; quoi qu'il fasse pour elle, elle trouvera qu'il aurait pu en faire davantage ; et si quelque différend les sépare, elle ne citera que le mal commis contre elle, jamais les bienfaits reçus.

« Quant à la plupart des marabouts [2], le déplaisir

1. L'un des surnoms de Satan.
2. Ils symbolisent ici les dignitaires religieux en général.

qu'ils éprouvent à voir un de leurs confrères réussir dépasse toute imagination ! L'envie qu'ils ont achetée ici les pousse à se dresser les uns contre les autres, fût-ce au détriment de la Vérité divine et de l'épanouissement spirituel du genre humain.

« Enfin, partout et en tous temps tu verras des chefs s'obstiner à vouloir dominer et imposer leur volonté autour d'eux, quand ils ne voudront pas, même, plier la nature à leur bon plaisir ! Pour réussir, ils useront aussi bien de la force et de la ruse que de la flatterie ou de la traîtrise. S'ils échouent, au lieu de se plier à la nature des choses, ils s'entêteront, et pour finir, par pure bravade, ils déclencheront eux-mêmes ce qui causera la fin de leur règne ! »

*

Ainsi parla Satan, qui devait savoir à quoi s'en tenir sur la nature humaine. Mais n'a-t-on pas vu, même dans un fruit pourri, subsister une petite parcelle de chair pure ? Il n'y a donc pas lieu de généraliser. Dieu merci, bien des femmes de ce monde n'ont pas consommé la marchandise achetée à la foire de Satan par leur représentante allégorique, et bien des marabouts ou des chefs temporels non plus.

Les chefs soucieux de faire régner la paix et la justice, les femmes de bien et les vrais Hommes de Dieu, dévoués à la cause de la Vérité-Une, symbolisent, sur un autre plan :

— la Loi juste qui organise la cité du Bonheur,

— la Voie qui mène à la multiplication heureuse,

— la Vérité qui fait s'épanouir l'Amour et la Charité entre les hommes.

Djinna Nabara, le génie paralytique

Conte marka

Dans les temps anciens vivait un roi très puissant, dans le plus agréable des royaumes. Le pays regorgeait de toutes les richesses possibles. Les gens y coulaient des jours paisibles.

Le Roi était à ce point heureux qu'il en vint à oublier la mort et à ne plus savoir ce que signifiait le mot « malheur ».

« Comment, se demandait-il en son for intérieur, un homme peut-il être malheureux ? »

Pour le punir, peut-être, Dieu frappa son unique enfant, son fils bien-aimé, d'une paralysie totale. Sept années durant, l'enfant ne put quitter son lit. Le Roi découvrit la douleur et le désespoir. Il souffrit mille morts. La tristesse envahit toutes les cavités de son cœur. Il était plus malheureux que le petit malade lui-même ! La vie, qui jusque-là avait été pour lui comme un jour de fête sans crépuscule, devint telle une nuit sombre que nul souper n'a précédée.

Le Roi chercha partout à prix d'or un remède contre le mal dont souffrait le jeune prince, mais en vain. Ce fut peine perdue et fortune gâchée. Aucun des guérisseurs, des devins et des sorciers qui se succédaient au chevet de l'enfant ne put lui faire recouvrer la santé, ni même lui apporter le moindre soulagement.

Un jour une vieille femme, chenue, édentée, boiteuse et bossue de surcroît, se présenta à l'entrée du palais. Un liquide nauséabond coulait de ses narines. De ses yeux fripés suintaient des larmes chaudes. Elle demanda à voir le Roi. Le garde la renvoya sans ménagement. Elle poussa alors un cri si perçant que la terre en trembla.

Le Roi, tout surpris, sortit de ses appartements. Qui avait donc poussé ce cri épouvantable ? On lui présenta la vieille chenue.

« Pourquoi as-tu crié si fort, ma bonne vieille ? demanda-t-il.

— Je suis venue, ô grand Roi, t'apporter une information qui fera cesser tes larmes, mais on m'a fermé ta porte. C'est pourquoi j'ai crié.

— Parle vite, ma bonne vieille ! Je t'écoute comme un élève docile et attentif.

— Voilà ! J'ai appris que, depuis des années, tu cherchais un guérisseur à travers tout le royaume. Or il n'existe, dans tout l'univers, qu'un seul être capable de guérir le mal dont souffre ton enfant : c'est Djinna Nabara, le génie paralytique [1]. On dit qu'il connaît absolument tout ! Il réside entre terre et ciel dans une région totalement inaccessible, mais une fois par semaine il vient se désaltérer aux eaux de la mare bleue, celle qui se trouve dans la vallée rouge, au pied de la chaîne des monts jaunes. Si quelqu'un peut sauver ton fils, c'est lui.

— Mais, ma bonne vieille, comment ferai-je pour entrer en rapport avec ce génie ? Ce n'est pas un de mes sujets et je n'ai aucun pouvoir sur lui.

1. « Génie paralytique » est la traduction littérale de *djinna nabara*.

— Il faut le capturer.

— Avec quelle force pourrai-je saisir un génie capable, en un tournemain, d'anéantir une armée ? »

La vieille éclata de rire :

« La ruse, s'exclama-t-elle, est plus puissante que la force des armes ! Ô Roi ! Je compatis à ta douleur. Aussi vais-je te dire comment faire pour capturer Djinna Nabara. Donne l'ordre à tous les villages de ton royaume de préparer la plus grande quantité possible d'hydromel. Puis fais transporter cette boisson enivrante jusqu'au bord de la mare où vient s'abreuver le génie et fais-la verser dans ses eaux. »

Ainsi dit, ainsi fait. Partout dans le pays on récolta le miel. Aucune ruche, aucun creux dans les troncs d'arbres ne furent oubliés. Quand tout le miel fut rassemblé, on le versa dans les eaux de la mare, où il fermenta. Bientôt la mare devint tel un lac d'hydromel, mousseux et pétillant à souhait.

Le jour venu, Djinna Nabara, comme de coutume, vint à la mare pour s'y baigner et s'y désaltérer. Surpris, il constata que l'eau avait changé de couleur. Il en prit une gorgée, et l'avala. Il la trouva délicieusement miellée. « Sans doute, pensa-t-il, Dieu a-t-il décidé de modifier cette eau afin d'en améliorer le goût... » Il en but alors à longs traits. A la fin, complètement ivre, il tomba lourdement sur le sol et sombra dans un sommeil profond.

Le Roi avait envoyé trois chasseurs se poster à proximité de la mare avec ordre de capturer le génie, mais sans le maltraiter. Le voyant profondément endormi, ils l'encerclèrent et attendirent tranquillement son réveil, sans le déranger.

Quand Djinna Nabara ouvrit les yeux, il se vit entouré de trois Fils d'Adam qui le serraient de près mais qui, apparemment, s'étaient gardés de lui faire le moindre mal.

« Qui êtes-vous, et que me voulez-vous ? leur demanda-t-il. Je vois bien que vous ne me voulez pas de mal, sinon il vous eût été facile de m'attacher pendant mon sommeil. »

Le chef des chasseurs prit la parole :

« Notre Roi, dit-il, a pour seul héritier du trône son fils unique qu'il chérit tendrement, mais celui-ci est malade et ne peut plus bouger depuis sept ans. Le Roi a remué ciel et terre pour trouver un guérisseur capable de guérir son enfant et de ramener la joie dans son cœur, mais en vain.

« Or, voilà quelques jours, une vieille femme chenue et toute difforme est venue lui parler de toi. Elle lui a dit que tu connaissais tout ce qui peut être connu sur la terre comme dans les cieux et que toi seul pouvais guérir ce jeune homme, espoir de tout un peuple. C'est pourquoi nous t'avons enivré afin de pouvoir te parler. Le Roi te prie instamment de venir soigner son fils. Il te donnera ce que tu voudras et te restera éternellement reconnaissant. »

Djinna Nabara se mit à rire. Puis, docilement, il se leva et suivit les chasseurs sans faire de difficulté.

Chemin faisant, ils croisèrent trois hommes sur leur route. Les deux premiers étaient chercheurs d'or. Ils étaient en train de demander au troisième, un devin qui se tenait assis adossé à un gros arbre, de leur indiquer grâce à son art où ils pourraient trouver un bon filon du précieux métal. Djinna Nabara regarda les trois hommes. Il les salua et ils lui répondirent. Alors, en s'éloignant, il se mit à rire pour la deuxième fois.

Enfin, les quatre compagnons arrivèrent sans encombre à la porte du palais. Ils entrèrent dans la cour, puis chez le Roi qui les reçut dans sa chambre à coucher. En franchissant le seuil de la chambre royale, Djinna Nabara éclata de rire pour la troisième fois. Le

Roi n'y prêta pas attention, tant il était préoccupé par la guérison de son fils bien-aimé, unique rejeton de ses reins paresseux. Il salua Djinna Nabara, tout en s'excusant du procédé employé pour l'amener devant lui et que seule pouvait justifier sa profonde douleur. Le génie accepta les excuses du Roi, puis il dit :

« Ô Roi ! Je peux en effet guérir ton fils, et cela plus rapidement que tu ne peux l'imaginer, mais pas avant que trois conditions n'aient été remplies par trois personnes : ton vizir, ta femme préférée et toi-même.

— Quelles sont ces conditions ? demanda le Roi.

— Chacun d'entre vous doit révéler, séance tenante et sans nulle restriction, une vérité irréfutable qui correspond à un désir intime de son cœur mais que, généralement, on n'exprime pas à haute et intelligible voix. Votre sincérité, comme un rayon de lumière, dissipera l'obscurité qui empêche le jeune prince de guérir. »

Le Roi se tourna vers son vizir :

« Ô Vizir ! La parole est à toi, qui me sers avec tant de dévouement. »

Le vizir, gêné, tourna son regard vers la droite, puis vers la gauche. Finalement, il baissa la tête sans répondre.

« N'aie pas peur, reprit le Roi. Relève la tête et exprime sincèrement ce que tu désires et que tu n'as jamais osé dire à haute voix. »

Le vizir hésita encore. Le Roi insista :

« Je te donne ma parole d'homme que, quelle que soit l'extravagance du désir que tu révéleras, il ne t'en coûtera aucune disgrâce et nulle rancœur de ma part. »

Le vizir releva la tête et dit :

« Ô Roi magnanime à qui je dois tout, hormis la vie que j'ai reçue de Dieu par l'entremise de mes deux engendreurs, je suis prêt à donner ma vie pour sauver celle de ton fils, car tu m'as placé au second rang de ton royaume. J'ai préséance et autorité sur tout, à l'exception de ta seule personne. Tu entérines toutes mes décisions et je peux même dire que, parfois, c'est moi qui rapporte les tiennes. Eh bien, malgré tout cela, dans le secret de mon cœur, je préférerais être à ta place et te voir à la mienne. Voilà, j'ai dit la vérité ! Le rêve de tout second, c'est de devenir un jour le premier. »

Djinna Nabara se pencha et lui tapa dans la main : « Tu as dit vrai ! s'exclama-t-il. C'est bien là une vérité qui se pense tout bas mais ne s'exprime pas à haute voix. »

C'était au tour de l'épouse du Roi de parler. Elle dit :

« Certes, mon mari est un grand Roi et je suis son épouse préférée. Il est riche et généreux, il me comble de toutes sortes de biens : or, argent, pierres précieuses, riches vêtements, nourritures délicieuses, rien ne me manque. Pourtant, je ne suis pas pleinement heureuse. Dans le domaine de l'amour, je reste sur ma faim. Certes, mon époux, âgé de soixante-dix ans, me consacre le peu de force qui lui reste, mais cela ne suffit pas à calmer mes ardeurs. A tout l'or et l'argent du monde, mon cœur de vingt-cinq ans préférerait un jeune époux vigoureux, fût-il palefrenier ou modeste cultivateur, plutôt qu'un époux fortuné mais affaibli par l'âge. La femme préférera toujours partager de douces nuits avec un compagnon viril, dût-elle piocher toute la journée avec lui la terre rocailleuse d'un *lougan*[1] improductif, plutôt que de vivre des journées luxueuses suivies de nuits où nulle étreinte ardente ne vient calmer son corps et apaiser son âme. »

Djinna Nabara s'exclama : « Nulle vérité ne saurait être plus éclatante ! Tu es réellement la plus sincère des femmes de ton temps ! »

Se tournant vers le Roi lui-même, il lui dit :

« Roi, ton vizir et ton épouse ont été véridiques.

1. Lougan : champ.

Vas-tu à ton tour révéler le désir intime que tu caches dans ton cœur et que tu voudrais que Dieu lui-même ne connaisse pas ?

— Certes oui, déclara le Roi. Je suis, vous le savez, le grand Commandeur de toutes les terres situées entre les deux fleuves. Je possède des greniers remplis d'or et d'argent et des magasins regorgeant de tout ce qui procure au corps un confort paradisiaque. Je possède plus de fortune que je ne puis en dépenser. Je donne et je reçois des cadeaux somptueux. Eh bien, malgré tout cela, la chose qui me plaît le plus au monde, c'est de voir quelqu'un, fût-ce un misérable, avancer la main vers moi et me dire : "Tiens ! Voici un cadeau pour toi." Et ce qui me déplaît et me contrarie le plus, c'est de voir quelqu'un tendre la main pour me dire : "Donne-moi quelque chose."

— Tu as dit vrai, approuva Djinna Nabara. Tous les sages ont dit, en effet, que le Roi qui donne est un Roi extraordinaire, car le propre des Rois est d'aimer recevoir plus que d'aimer donner. »

Et il ajouta :

« Vous avez tous les trois exprimé courageusement une vérité cachée difficile à dire. Les conditions sont donc remplies et je vais vous dire comment guérir le prince. Ô Roi, tu vois la poule noire qui est derrière ton lit et qui s'apprête à pondre ? Tue-la et fais-la manger à ton fils. Ensuite, enfouis sous la terre les os et la chair qui n'auront pas été consommés. Dès que les restes seront enterrés, ton fils guérira. »

Le Roi fit exécuter la prescription. Aussitôt, son fils retrouva l'usage de ses membres et bondit hors de son lit. La joie de tous fut indescriptible. Le peuple tout entier fut en fête.

Le Roi voulut combler de cadeaux Djinna Nabara, mais ce dernier refusa. Après avoir pris congé de tous, il s'apprêtait à quitter le palais quand l'un des chasseurs, qui avait assisté depuis le début à toutes les scènes, s'approcha de lui et le prit par la main :

« Bon génie plein de science et de sagesse, lui dit-il, depuis que nous nous sommes rencontrés, tu as ri à trois reprises. Pourquoi ?

— J'ai ri, répondit Djinna Nabara, de la vanité humaine, et surtout de l'assurance avec laquelle les hommes affirment des choses dont ils n'ont, en réalité, aucune connaissance certaine.

« On a dit au Roi que je savais tout. Or, je ne savais même pas que du miel délayé dans de l'eau pouvait m'enivrer et me réduire à l'impuissance ; sinon, j'aurais évité votre piège. C'est pourquoi j'ai ri une première fois.

« J'ai ri une deuxième fois car l'homme qui se disait devin et qui cherchait un filon d'or était assis sous un arbre dont les racines plongeaient dans la plus vaste des mines d'or qui existent actuellement au sein de la terre.

« Enfin, en entrant dans la chambre du Roi, j'ai ri une troisième fois parce que le Roi a dépensé des fortunes pour guérir son fils alors que le remède se trouvait à portée de sa main, juste derrière son lit ! »

Alors, avant que qui que ce soit ait eu le temps d'ouvrir la bouche pour lui poser une autre question, Djinna Nabara, le bon génie, se transforma en lumière, s'envola et, telle une étoile filante, disparut dans l'espace, sans que quiconque puisse dire s'il était allé en haut ou en bas !

*

Telles sont les vertus de l'humilité sincère et le pouvoir libérateur de la vérité ! Non seulement Djinna Nabara ne se laisse pas griser par la réputation qui lui est faite, préférant dire la vérité sur lui-même, mais il amène les trois personnages du conte à avouer leur secret le plus intime, libérant par là même leur cœur, condition de la guérison du jeune Prince.

La poignée de poussière

Conte peul

Dans un village vivait un homme riche à jeter l'argent par la fenêtre, et qui aimait à se tenir sur le devant de sa maison. Il remarqua que, chaque matin, un pauvre homme passait devant sa porte : il allait dans la brousse ramasser du bois mort qu'il revendait ensuite pour nourrir sa famille.

Un beau jour, le richard dit au pauvre : « Chaque jour, je te vois passer devant ma porte. Ta pauvreté me fait pitié. Désormais, viens chaque matin me demander l'argent nécessaire aux dépenses de ta famille ; ainsi tu n'auras plus besoin d'aller en brousse chercher du bois mort. »

Le lendemain matin, le chercheur de bois se présenta devant le richard, le salua et attendit.

« Combien te faut-il pour la journée ? demanda le richard en mettant la main dans sa poche.

— Donne-moi une poignée de poussière, cela suffira largement », répondit le pauvre.

Le richard, bien que surpris et déconcerté, se baissa, ramassa une poignée de poussière sur le sol et la donna à son obligé. Celui-ci le remercia comme s'il venait de recevoir une poignée de métal précieux, puis, comme de coutume, partit à son travail.

Le lendemain matin, le pauvre homme s'arrêta devant la porte du richard et lui demanda à nouveau une poignée de poussière. Le richard la lui donna.

Les choses continuèrent ainsi quelques mois, sans façon ni problème. Puis, un beau matin, lorsque le marchand de bois mort se présenta pour demander sa poignée de poussière, le richard lui rétorqua avec humeur :

« Ecoute, mon ami ! Si tu veux ta poignée de poussière, donne-toi la peine de te baisser et de la ramasser toi-même. Tu me fatigues, à la fin ! »

A ces paroles, notre ramasseur de bois éclata de rire.

« Ô homme riche ! s'exclama-t-il. Te voilà excédé par le simple fait de me donner une poignée de poussière qui ne te coûte que la peine de te baisser pour la ramasser. Qu'adviendrait-il si chaque matin je venais tendre la main pour recevoir de toi une pièce d'argent ?...

« Laisse-moi donc gagner la vie de ma famille par moi-même. La sueur de mon front ne sera jamais importunée par ce qu'elle me donne chaque jour, mais tout autre qu'elle le sera tôt ou tard. »

*

Le mot « Tiens ! » finit toujours par lasser celui qui le dit. Bien que dépourvu de poids physique, il pèse lourd s'il est dit trop longtemps.

Le Roi et le Fou

Conte peul

Au cœur de la forêt régnait un Roi despote appelé Hediala[1]. Chaque matin, la malignité de ce Roi produisait de quoi faire bouillir d'angoisse la cervelle de ses sujets.

Ses conseillers avaient beau faire, Hediala, têtu comme une mule, avait décidé une fois pour toutes de torturer tous ceux qui faisaient parler d'eux. Sourcils toujours froncés, il ne levait le bras que pour frapper, n'ouvrait la bouche que pour insulter. Il demandait aux uns d'avaler des flammes, aux autres de lécher un couteau tranchant, et Dieu sait quoi encore !

Or, dans la région, vivait un homme réputé connaître beaucoup de choses. Chacun vantait sa grande sagesse. Il n'en fallait pas plus pour que Hediala veuille le tracasser ; aussi le manda-t-il auprès de lui. Le jour de la rencontre, la foule nombreuse s'assembla, chacun tenant à assister à ce qui allait se passer.

« Il m'est revenu, dit le Roi, que tu te piques de tout connaître ?

---

1. *Hediala :* onomatopée peule exprimant l'angoisse.

— Seigneur, répondit le sage, je n'ai jamais prétendu à la connaissance totale. Je ne connais que ce que je sais. Et ce que je sais n'est qu'une goutte d'eau alors que ce que je ne sais pas est un océan immense.

— Ah ! ah ! Tu ne sais donc rien et cependant tu fais le gros dos au milieu de tes prétendus élèves ! Eh bien, tu vas devoir faire un plongeon dans la petite goutte de ton savoir pour y trouver la réponse à cette question : quand on laisse tomber un pilon dans un mortier vide, le bruit qui en résulte vient-il du mortier ou du pilon ? Réfléchis bien et réponds, sinon je te ferai pendre immédiatement ! »

Le sage garda un moment le silence, puis il dit :

« Le bruit vient des deux.

— Mais dans quelle proportion d'intensité ? » demanda encore le Roi.

Le sage, ne sachant quoi répondre, resta interdit. Hediala reprit :

« Dépêchons-nous, fameux sage dont la connaissance se situe en deçà d'un mortier et d'un pilon ! »

A ce moment, un fou écarta la foule et s'avança vers Hediala.

« Ô Roi ! s'écria-t-il. Aucun homme n'ayant jamais été frappé de commotion cérébrale ne poserait pareille question, et pour y répondre il faut avoir l'esprit fêlé. Aussi est-ce moi qui vais te donner satisfaction. » Et, levant le bras, il assena au Roi une gifle si sonore que chacun l'entendit dans tout le village. Puis il éclata de rire : « Eh bien, ô Roi ! Est-ce de ma main ou de ta joue qu'est sorti le bruit, et dans quelle proportion ? »

*

Moralité : il faut souvent un fou pour instruire un despote.

La leçon d'humilité

Conte mystique peul

Au royaume de Soulé, dans une grotte située au flanc d'une montagne[1] tour à tour brûlée par le soleil, fouettée par les vents ou battue par les pluies, vivait un ermite nommé Soly. Il ne se nourrissait que de fruits sauvages et de miel doré. Il ne buvait que de l'eau de source et ne sortait se promener sous bois qu'au moment où les abeilles récoltaient le pollen.

Un jour, un berger qui avait l'habitude gourmande d'aller lécher l'exsudat sucré des fleurs et des fruits sauvages s'aventura sur la montagne plus loin que de coutume. Il aperçut l'anachorète. Il voulut s'approcher de lui pour lui parler, mais le solitaire prit la fuite comme s'il avait été menacé par quelque bête furieuse. Sa curiosité éveillée, le berger se lança à sa poursuite. Ils se livrèrent, entre les arbres et les rochers, à une course frénétique et désordonnée comme deux souris qui se pourchassent. A la fin, l'ermite n'eut d'autre recours que de se réfugier dans sa caverne. Le berger s'y engouffra derrière lui, mais la caverne était vaste

1. Par « montagne », sans doute faut-il plutôt entendre de hautes collines ou de hautes falaises.

et ses galeries intérieures communiquaient toutes entre elles, si bien qu'il n'y avait aucun lieu d'arrêt ou de blocage possible.

Fatigué, le berger s'arrêta de courir. Quand il eut retrouvé son souffle, il sortit de la caverne et prit le chemin du retour.

Il se rendit tout droit chez le Roi Seydou, chef de la contrée et vassal du grand Roi de Soulé. Il lui dit :

« Seigneur ! J'ai vu de mes deux yeux, dans la grotte sacrée, un homme habillé de feuilles et de fibres végétales. J'ai voulu savoir qui il était et me suis approché pour lui parler, mais il a fui devant moi comme un agneau menacé par une hyène et j'ai été incapable de le rattraper. Sans doute cet homme est-il un saint ; sinon, ce ne peut être qu'un fou ou un diable malfaisant. »

La curiosité du Roi fut piquée. Il manda auprès de lui son Porte-glaive et son Chef-de guerre-Responsable-des-chevaux. Il leur ordonna :

« Rassemblez nos troupes et allez cerner la montagne où vous mènera le berger que voici. Dans l'une des cavernes sacrées de cette montagne vit un homme, à moins que ce ne soit un diable. Il vous faut à tout prix me l'amener. Sinon, je vous couperai la gorge ! Allez ! »

Les soldats cernèrent la montagne, bloquèrent tous les chemins et commencèrent à monter vers la caverne. Le chef appela l'ermite, lui criant que le Roi souhaitait le rencontrer. Se voyant pris au piège, le solitaire sortit de sa cachette et accepta de suivre les soldats. La troupe prit le chemin du palais du Roi Seydou.

Dès qu'on introduisit l'ermite en présence du Roi, ce dernier, à sa vue, fut saisi d'une émotion inexplicable. Son cœur s'emplit d'un profond sentiment de respect religieux. Il l'interrogea avec douceur :

« Comment t'appelles-tu ?

— Je m'appelle Soly.

— Que fais-tu dans la grotte de la montagne ?

— J'y apprends à me dominer et à m'éduquer.

— Pourquoi fuis-tu tes semblables comme s'ils étaient une maladie contagieuse repoussante ?

— Je ne puis répondre à ta question, ô Roi, car tu te trouves au sommet d'une montagne alors que, moi, je suis au fond d'une vallée encaissée. Ma parole ne te parviendrait que comme l'écho mourant de quelque voix lointaine. La distance qui nous sépare est trop grande.

— Et que faudrait-il pour que cette distance soit supprimée et que tes paroles viennent à portée de mon âme ?

— Il faudrait que tu deviennes mon élève docile.

— Je suis prêt à écouter ton enseignement. Mais que dois-je faire pour cela ?

— Descendre de ton trône, troquer tes beaux vêtements contre de méchantes défroques et oublier ta bonne fortune. Et pour ne point regretter ta situation, te considérer comme frappé par un malheur et te dire que, quelle que soit la rigueur de l'adversité dans laquelle tu viens de tomber, il y a toujours un malheur plus grand dont Dieu t'a préservé par un effet de Sa miséricorde compatissante. »

Le Roi, sans ajouter un mot, descendit de son superbe trône. Il confia la direction de son royaume à son frère, se dépouilla de ses riches vêtements et suivit Soly. Tous deux quittèrent la ville, gravirent la montagne et pénétrèrent dans la caverne.

Là, loin de toute animation, loin des douceurs de la vie et des plaisirs du commandement, le Roi Seydou apprit à méditer sous la conduite de Soly. Après un mois d'exercice, il constata qu'il était déjà devenu bien meilleur. Poursuivant son effort sans relâche, il parvint enfin à franchir les cloisons qui séparent les créatures. Il réalisa avec certitude la vanité des situations et des ambitions humaines dans ce monde si éphémère. Il pénétra le secret des existences. Il reconnut que la raison d'être de chaque créature, depuis la pierre inerte jusqu'à l'homme dont la pensée produit tant de merveilles, était nécessaire et irremplaçable. Il apprit à respecter tous les êtres vivants, animés ou inanimés, qui peuplent les trois règnes de la nature. Cette conscience se développa si profondément en lui qu'il ne vit plus sur cette terre une seule chose qui vaille moins que sa propre personne.

Soly, devant l'immense progrès réalisé par son disciple, lui dit :

« Seydou, je suis heureux de constater que tu n'es plus le Roi hautain pour qui les autres hommes n'étaient que grains de poussière tout juste bons à être foulés aux pieds. Maintenant, tu sais que chaque chose existante tient une place unique qu'aucune autre ne saurait tenir, que tout est orienté et que tout s'achemine peu à peu vers le Bien suprême[1]. Ton être, je le sais, est pénétré de cette vérité et l'orgueil est si complètement banni de ton cœur que tu ne vois plus une seule chose qui te soit inférieure.

— C'est vrai, dit Seydou. Je me considère aujourd'hui comme la plus basse des créatures.

— Eh bien, avant que je ne dénoue pour toi les nœuds qui scellent les secrets du Bien suprême, il te faut maintenant aller parcourir le monde et essayer de découvrir un être ou une chose que tu jugeras valoir moins que toi. »

Seydou prit congé de son Maître. Il évolua sur tous les cours d'eau de la terre. Il escalada montagnes, collines et coteaux. Il visita villages et cités, palais de

1. Littéralement *boural :* ce qu'il y a de meilleur, la quintessence.

Rois et tavernes de voleurs. Il consulta les vieux. Des yeux il scruta les cieux et en esprit il sonda les astres et les étoiles. Il observa minutieusement ce que la marée montante pousse vers la terre ferme et ce que la marée descendante draine vers les profondeurs marines. Bref, il observa toutes choses, mais nulle part il ne vit quoi que ce soit qu'il estimât plus déchu que lui-même. Chaque fois qu'il considérait une chose, fût-ce la plus modeste, il voyait en elle une vertu ou une propriété dont lui-même était dépourvu.

Pour finir, persuadé qu'il était vraiment au plus bas de l'échelle, il décida de rentrer pour dire à son Maître qu'il n'avait pas trouvé, sur cette terre, un seul être ou une seule chose qui lui soient inférieurs.

Sur le chemin du retour, vint un moment où il éprouva, comme on dit, le besoin d'« aller dans la brousse » pour satisfaire un besoin naturel. Il pénétra dans un bocage. Alors qu'il examinait le sol, il découvrit, tout desséché, un petit tas d'excréments qu'il avait posé là à l'aller, lors de son premier passage. « Enfin ! se réjouit-il, j'ai trouvé ce que je cherchais, car, sans nul doute, je vaux au moins mieux que mes propres déjections ! »

Il avança la main pour se saisir de la boule séchée et la rapporter pour la montrer à son Maître, mais, ô surprise, soudain il entendit s'élever de la boule une multitude de petites voix ! Chaque grain, chaque molécule de cette vile matière geignait et l'implorait :

« De grâce, ô toi, homme, épargne-nous ton contact funeste ! A l'origine, issues de fleurs odoriférantes, nous étions des graines parfumées. A ton premier contact, nous fûmes réduites en farine, perdant ainsi notre vertu essentielle qui était de pouvoir nous reproduire pour perpétuer notre espèce. A ton deuxième contact, nous fûmes transformées en aliments, et là, il faut le reconnaître, nous devînmes savoureuses et nourrissantes. Mais lors du troisième contact, tu nous introduisis en toi. De cette intimité nous sortîmes puantes ! Durant de longs jours, nous fûmes un objet de dégoût, prenant les passants au nez et à la gorge. Maintenant qu'enfin nous sommes assainies par l'air et durcies par le soleil, maintenant que nous avons cessé d'être un "oblong fétide" qu'on ne regarde pas plus d'une fois, si tu nous prends encore, qu'allons-nous devenir ? Nous t'en prions, passe ton chemin, ô Fils d'Adam, créature à la fois vile et sublime ! Nous craignons, si nous sommes touchées par toi, de devenir cette fois une chose que ni feu ni eau ni air ne pourront plus jamais purifier ! »

Seydou, tout attristé, rentra auprès de son Maître. Il lui narra son histoire et conclut : « Je suis bien le plus vil des êtres puisque je vaux encore moins que mes propres résidus ! »

Le saint homme se leva. Il imposa ses mains sur la tête, le front et la poitrine de Seydou. Il lui dit :

« Mon frère en Dieu, ton âme a atteint le pinacle de la sagesse. Être pénétré du sentiment que l'on est la plus misérable des créatures est le sommet de la vie spirituelle. Va, rentre chez toi et reprends ta couronne. Tu compteras dorénavant parmi le très petit nombre de Rois qui ne sont pas aveuglés par l'éclat de leur diadème. Tu seras un "Roi initié". La lumière et la paix, l'amour et la charité ne régneront sur la Terre que lorsque tous ceux qui commandent seront, comme toi, des initiés. »

*

Selon toute apparence, l'humanité attend encore cet heureux jour...

Le Peul et le Bozo ou le coccyx
calamiteux...

Conte peul

Soripoullo, le jeune Peul, a des projets de mariage.
Mais pour se marier dans les règles et faire honneur
aux siens, il faut dépenser beaucoup. Comment faire,
quand on ne possède rien ? « Confions nos soucis à
notre vieux captif de case[1] Allahoki », se dit-il.
Consulté, le vieux serviteur répond : « Je ne vois
qu'une solution. Pour gagner ce qui t'est nécessaire,
quitte le pays et va chercher du travail, accepte tout
travail qui se présentera ! »

Notre jeune Peul prend donc son baluchon et s'expa-
trie. Mais, comme on dit, tous les jours ne sont pas
vendredi[2] et toutes les pêches ne sont pas mira-
culeuses. Après une laborieuse année aux douze lunes
bien pleines, le jeune homme ne peut que constater son
échec. Sa besace est aussi vide qu'à son départ.

Découragé, il se résout à aller consulter Boukari

1. C'est-à-dire attaché à une famille par des liens qui
remontent à plusieurs générations. Les « captifs de case » faisaient en général partie intégrante de la famille.
2. Le vendredi est considéré comme un jour faste.

Tondou, le célèbre devin de l'endroit. Boukari Tondou dresse un thème géomantique et le scrute attentivement. Perplexe, il recommence l'opération une deuxième fois, puis une troisième, comme si la formule était trop embrouillée pour pouvoir être déchiffrée.

Soripoullo, bouillant d'impatience, presse le voyant :

« Ce qui vient de Dieu est irrécusable, dit-il. Donne-moi donc la réponse de l'oracle, quelle qu'elle soit. Je suis courageux, je puis tout entendre. »

Encouragé par cette fermeté, Boukari Tondou répond :

« Je ne vois rien de bon pour toi dans ce pays. Une maladie pernicieuse alliée à une guigne solide occupe la maison de ta fortune. Il te faut déguerpir d'ici au plus vite ou tu seras attrapé pour non-paiement de dettes. »

Le cœur lourd, Soripoullo, vêtu des mêmes haillons qu'à son arrivée, reprend la route de son village. Après deux jours de marche, il réfléchit : « Mieux vaut m'aller noyer dans le fleuve que de rapporter aux miens une misère qui les couvrirait de honte. » Et, abandonnant la route, il se dirige vers le Niger pour se jeter dans ses eaux.

Il avance à travers la brousse, marchant comme un automate, écartant machinalement de la main les hautes herbes qui lui fouettent le visage. Tout à coup, il débouche sur un groupe de paillotes. « Tiens, se dit-il, retrouvant sa lucidité, me voici dans un campement bozo [1]. Je suis chez les Amboy-Ayenka. Peut-être trouverai-je quelque chose à en tirer ? Non, décidément, je ne crois pas que le moment soit encore venu de me détruire. »

Et le voilà qui saute par-dessus le clayonnage de l'enclos et se glisse dans la case principale du campement. Là, il enroule ses hardes autour de lui à la

1. Ethnie de pêcheurs vivant au Mali, sur les bords du Niger.

manière dont on prépare les cadavres pour la sépulture, grimpe sur le premier lit qui se présente, s'y couche de tout son long et attend. Au préalable, il avait fabriqué, avec un débris de calebasse percé d'un trou en son milieu et recouvert d'une toile d'araignée, un astucieux petit appareil destiné à rendre sa voix caverneuse à souhait.

Après quelque temps, Parmoye, la mère de famille, pénètre dans sa case. Éberluée, elle découvre sur le lit une forme allongée, rigoureusement immobile.

« Qui es-tu ? s'écrie-t-elle. De quel droit viens-tu occuper le lit de mon époux ? »

La forme allongée grogne, émet quelques bruits inintelligibles, puis finit par répondre d'une voix sépulcrale :

« Je suis un revenant, envoyé par vos morts. J'occupe ce lit avec la permission du "Feu du Ciel". Femme, tu n'as rien à craindre de moi. Bien au contraire, je t'apporte une bonne nouvelle. Dieu le Très-Haut est content de toi : tu vivras très longtemps et ne souffriras de rien dans l'autre monde. J'ai vu ton nom écrit à la porte d'une somptueuse demeure, juste à côté du grand magasin où l'on garde tous les poissons, frais ou séchés, du Paradis. Il est même fortement question de te désigner comme gardienne de ce magasin.

« En attendant, écoute-moi bien et obéis-moi : sors, et ferme soigneusement la porte car nous autres, revenants, sommes extrêmement sensibles à la lumière de ce monde. Puis va vers ton mari et dis-lui de venir me parler sans nulle crainte. »

Parmoye, assurée d'être accueillie un jour au Paradis et d'y posséder un grand magasin rempli de poissons de toutes sortes, court toute joyeuse vers son mari Mâma qui, assis sur la grève en compagnie d'autres pêcheurs, est occupé à réparer ses filets. Elle le prend à part et lui annonce la visite extraordinaire, mais bénéfique, d'un visiteur de l'autre monde. Son mari se lève aussitôt et tous deux, l'homme devant, la femme derrière, se hâtent de revenir au campement.

Arrivé devant la porte de sa case, Mâma, fort intimidé, s'arrête. Machinalement, il fouille ses vêtements comme pour y chercher quelque chose. Enfin, il s'enhardit à signaler sa présence :

« As-salaam aleïkoum, ô Revenant ! Je suis Mâ... Mâ... Mâma, le chef du campement, le mari de Parmoye, maître de cette mai... mai... maison. »

Du fond de la case, une voix caverneuse s'élève :

« Aleïkoum as-salaam ! Et sur vous la paix ! Je suis le conseiller et l'homme de confiance de tous vos morts, anciens et récents. Grâce à la complicité d'un gardien, ils m'ont envoyé vers vous pour vous demander de leur prêter vos plus beaux habits et vos bijoux les plus riches, car ils en ont le plus grand besoin. En effet, le Souverain du Ciel va donner bientôt une grande fête au Paradis – ce qui ne lui arrive que tous les mille ans – et ils y sont tous personnellement invités. Malheureusement, les distributions de vêtements sont fort rares au séjour céleste, et depuis longtemps vos morts anciens ont complètement usé leurs linceuls. Quant à vos morts récents, ils n'ont plus grand-chose à se mettre sur le dos. Aucun d'entre eux ne peut décliner l'invitation du Très-Haut, mais ils ne voudraient tout de même pas se présenter en loques, encore moins tout nus, devant l'assemblée distinguée du Paradis. Aussi ont-ils pensé que vous pourriez leur épargner la honte qui les menace en leur envoyant, par mon intermédiaire, des effets séants et dignes de leur rang. »

Mâma s'approche du lit, s'agenouille et dit :

« Ô charmant Revenant ! Sois le bienvenu parmi nous. Puisse ma maison t'être particulièrement agréable. Je vais réunir les notables du campement, leur annoncer ta venue et leur exposer ta mission. N'en doute point, nous allons tout faire pour nos parents. »

Aussitôt, Mâma sort pour appeler les notables. Une fois son monde rassemblé sur la place, il prend la parole :

« Nos morts... oui, je dis bien nos morts, tous nos morts, anciens et récents, petits et grands, hommes et femmes, illustres et modestes, font appel à nous. Dans l'autre monde, ils ont apparemment été dotés de logements confortables : mais pour ce qui est des vêtements, les distributions sont très rares là-bas. Les travailleurs du Paradis sont surchargés de besogne et nos parents attendent encore d'être servis. Par peur de laisser voir leurs parties secrètes, ils évitent même de sortir.

« Or, voici que le Bon Dieu les invite à une fête exceptionnelle à laquelle ils ne peuvent refuser d'assister. Grâce à la complicité d'un gardien, ils ont réussi à nous dépêcher leur conseiller et homme de confiance pour nous demander de leur prêter les vêtements et les parures qui leur permettront de participer dignement à cette grande manifestation. Moi, Mâma, votre chef, je tiens à ce que nos morts soient dignement honorés et que notre dévouement à leur égard soit connu de tous, aussi bien des habitants du Paradis que du Très-Haut lui-même ! C'est pourquoi je vous demande, au nom des liens sacrés du sang, d'aller préparer, sans tarder ni hésiter, les habits et les bijoux que vous destinerez à nos défunts parents.

— Entendu ! D'accord ! D'accord ! » s'écrie-t-on de toutes parts. Et les Bozos se précipitent dans leurs cases, ouvrent leurs coffres et choisissent, dans le trousseau de la famille, ce qu'ils jugent le plus digne d'être envoyé à leurs morts. C'est alors un véritable défilé chez le chef Mâma. Chaque donateur se présente, pose des questions plus ou moins saugrenues, dépose son paquet en indiquant le nom du destinataire, puis laisse la place au suivant.

Une fois le dernier donateur sorti, Soripoullo, qui jusque-là était demeuré allongé sans bouger, se lève à demi. S'adressant à Mâma, il lui dit de sa voix étrange :

« Réunis tous ces petits paquets en un seul afin de m'en faciliter le transport. Ensuite, annonce mon départ à tous les habitants du village. Chacun devra s'enfermer dans sa case car mon épine dorsale, comme celle de tous les revenants, est munie à son extrémité d'un petit os calamiteux. C'est une arme défensive dont Dieu nous a dotés pour nous défendre contre nos ennemis. Au moment où je partirai et traverserai votre village, cette partie de mon corps dégagera une émanation pestilentielle accompagnée d'un bruit assourdissant, pour éloigner les esprits malveillants. Or, pour rien au monde je ne voudrais que vous, mes meilleurs amis, vous respiriez cet air nauséabond et fatal destiné à mes seuls ennemis ! »

Pour la seconde fois, Mâma sort et fait le tour du campement, expliquant à tous à quel danger mortel s'exposerait l'imprudent qui resterait dehors au moment du départ du revenant. Et chacun de courir s'enfermer chez soi, bouclant avec soin toutes les ouvertures des cases.

Après s'être assuré que le village est bien vide, Mâma revient en aviser le revenant. Il s'abrite lui-même, avec sa famille, au plus profond de sa maison.

Assuré d'être bien seul, Soripoullo se lève. Il prend avec lui l'instrument qui lui donne une voix caverneuse, plus un autre instrument confectionné à partir d'une petite pièce de bois rectangulaire percée d'un trou à son extrémité et qui a la propriété, lorsqu'on la fait tourner au bout d'une ficelle, d'émettre un ron-flement d'une sonorité grave et impressionnante [1]. Il charge son précieux ballot de vêtements et de bijoux sur son dos et sort.

Une fois dehors, il saisit son bruiteur par la ficelle et le fait tourner. L'étrange ronflement s'élève et semble emplir tout le village. Plaquant alors l'autre instrument contre sa bouche, il entonne de sa voix d'outre-tombe une complainte peule sur la mort, ses affres, ses tour-ments et la misère des défunts qui n'ont personne pour leur faire des envois. Lorsque enfin il atteint la limite du campement, il se hâte de s'éloigner et disparaît dis-crètement dans la brousse et ses hautes herbes.

Pendant ce temps les pêcheurs bozos, tapis au fond de leurs cases bien closes, croyaient avoir été les témoins d'un véritable sabbat de diables danseurs et chanteurs. Le calme enfin revenu, ils sortent peu à peu de chez eux. Plus trace de revenant ! Rassurés, ils se rendent tous chez Mâma et Parmoye et, tout heureux, se congratulent mutuellement d'avoir échappé aux effets mortels du terrible coccyx calamiteux !

C'est alors que surgit, revenant de la pêche, Moriyéré, fils aîné de Mâma, le plus fier des Bozos de son temps.

« Tu as perdu une belle occasion, ô Moriyéré ! s'écrient ses parents et amis.

— Et pourquoi ?

— Aussi vrai que le soleil qui nous éclaire, tu aurais pu voir de tes yeux un véritable revenant... Nos parents défunts, anciens et récents, nous ont dépêché leur homme de confiance pour nous demander notre aide. Dans l'autre monde, ils ont usé leurs linceuls jusqu'à la corde et ils se trouvent, en attendant la prochaine distri-bution de vêtements, dans une complète nudité. Et voilà

1. Un rhombe.

que le Bon Dieu les invite à une fête exceptionnelle ! Ils sont bien embarrassés, n'ayant plus rien à se mettre.

— Et qu'avez-vous fait ? demande Moriyéré qui trépigne d'impatience.

— Que pouvions-nous faire, sinon accomplir notre devoir vis-à-vis de nos parents et de nos ancêtres ? Nous avons remis au revenant ce que nous avions de plus beau en boubous et en pagnes, et de plus riche en parures, or, argent, perles et boules d'ambre jaune...

— Malheur ! éclate Moriyéré. Il aura donc suffi que je m'absente deux jours pour que vous vous laissiez berner et dépouiller de tout ? Sachez que j'ai assisté à la lecture d'une traduction du Saint Coran. Eh bien, il y est écrit que les morts ne reviendront jamais sur cette terre. Ils n'ont besoin de rien, et d'ailleurs jamais les gardiens de l'autre monde ne se laisseraient corrompre. Un adroit bandit vous a abusés de ses sornettes et vous vous êtes laissé duper. Heureusement, le campement compte un Moriyéré ! Il prouvera au voleur que les Bozos ne sont pas aussi naïfs que le prétendent les Peuls faméliques et leurs grossiers Rimaïbés [1]. Votre "revenant au coccyx calamiteux" nous a-t-il au moins laissé notre unique cheval ?

— Oui, répond timidement Mâma en baissant la tête, incapable de soutenir le regard de son fils.

— Alors je pars à la poursuite du voleur. Je vous le ramènerai garrotté, ou je ne suis pas vraiment le fils de mon père ! »

Ayant ainsi parlé, Moriyéré fait venir le cheval, l'enfourche et s'éloigne au galop.

De son côté Soripoullo, après avoir longtemps marché et mis une distance respectable entre ses victimes et lui, avait grimpé dans un arbre pour s'y reposer entre deux branches. Tout en surveillant le sentier

---

1. Caste constituée par les captifs traditionnels des Peuls.

du coin de l'œil, il se délassait, repassant plaisamment en son esprit l'inventaire de son butin.

Soudain, il aperçoit au loin, galopant dans un nuage de poussière, un cheval et son cavalier qui se dirigent droit sur lui. Aussitôt il saute à terre, dissimule son ballot dans des buissons, déguise son apparence et se place au bord du chemin.

Bientôt le cavalier arrive à sa hauteur. Il tire brutalement sur la bride de son cheval ; l'animal se cabre en hennissant, recule un peu, puis s'arrête.

« N'aurais-tu pas vu passer un voleur portant une charge assez volumineuse ? » demande le jeune Bozo – qui n'est autre, bien sûr, que Moriyéré.

Soripoullo, avec le calme qui est la marque des âmes pures, le dévisage un moment, puis regarde craintivement à droite et à gauche, comme hésitant à parler.

« Parle, homme peul, fait Moriyéré. Tu ne regretteras pas de m'avoir obligé. »

Soripoullo dit à voix basse :

« Descends d'abord de ta monture. Je ne puis te parler qu'à l'oreille. »

Moriyéré met pied à terre et s'approche. Soripoullo reprend :

« Mettakâta[1] vient tout juste de passer. Il m'a instamment prié de n'en rien dire, mais comme il ne m'a rien donné pour acheter mon silence, je n'ai rien promis. Si toi tu me donnes un bon cadeau, non seulement je te fournirai des renseignements précis, mais j'abandonnerai la poursuite de ma vache égarée pour t'aider à capturer ton voleur.

— D'accord, répond Moriyéré. Tu auras un collier d'ambre jaune.

1. En peul, *mettakâta* signifie « goût de salpêtre », symbole d'amertume et de nocivité. On dit de quelqu'un : « C'est un mettakâta ! »

— Eh bien, explique Soripoullo, j'ai mis Mettakâta dans une mauvaise direction. A cette heure, il doit être engagé dans le marais ou en train de revenir en arrière. Monte en silence et sans te faire voir jusqu'au sommet de cette petite colline. De là, tu pourras facilement scruter des yeux la dépression qui se trouve derrière et repérer Mettakâta. Quand nous connaîtrons exactement sa position, à nous deux nous parviendrons certainement à le maîtriser.

— Tiens mon cheval, dit Moriyéré, je vais ramper jusqu'à la crête ; mais ne l'excite pas trop de peur qu'il ne fasse du bruit. Et si Mettakâta apparaissait, tu sais ce que tu dois faire. »

Moriyéré commence à gravir avec précaution le flanc de la colline, se cachant derrière les arbustes. Sans perdre de temps, Soripoullo court prendre son ballot ; il le fixe solidement sur le dos du cheval, saute en selle et s'éloigne au galop.

Moriyéré, enfin parvenu au sommet de la colline et voulant faire un signe à son aide peul, se retourne juste à point pour voir son cheval, monté par Soripoullo, filer ventre à terre. Tout heureux, il s'en félicite : « Mon auxiliaire est en train de donner la chasse à mon voleur, se dit-il. Je puis être tranquille : mon cheval est le meilleur du pays, il aura vite fait de rattraper le bandit ! Je vois déjà la scène qui va se dérouler entre les deux hommes. Mon Peul va crier : "Voleur ! Maudit ! Arrête ! Rends-toi !" Le voleur refusera d'obéir, mais le cheval le serrera de plus près. Le voleur tentera de zigzaguer. Mon Peul fera cabrer le cheval. Mon voleur sentira le souffle de l'animal sur sa nuque. Il lancera le ballot pour s'alléger, mais trop tard ! Le courant d'air déplacé par mon cheval le soulèvera comme une plume d'oiseau mange-mil et le jettera brutalement dans le fourré d'épines que je vois d'ici. Mon voleur criera : "Ô mon père ! Ô ma mère ! Je ne suis pas le voleur de

Moriyéré ! Je n'ai rien pris à personne !" Mon Peul lui donnera un grand coup de fouet et l'obligera à demeurer là, dans les épines, jusqu'à ce que je vienne le prendre à la gorge. Alors je surviendrai et lui dirai bien en face : "Voleur ! Voleur ! Honte à ton père et à ta mère ! Mes parents peuvent bien, eux, avoir redouté ton coccyx ; il a beau être calamiteux, moi, Moriyéré, je te le limerai et boucherai une fois pour toutes son trou d'échappement !" »

Moriyéré, se grisant à l'avance des joies de la vengeance, redescend jusqu'à la route. Il reprend un peu son souffle, puis s'apprête à rejoindre à pied son auxiliaire peul quand un voyageur, venant de cette direction, vient à passer. Moriyéré le questionne :

« Pourrais-tu me dire si mon auxiliaire peul a bien arrêté le voleur qu'il poursuivait ?

— Es-tu Moriyéré ?

— Oui.

— Eh bien, je ne puis te renseigner sur ton voleur, mais pour ce qui est du cavalier, il m'a donné pour toi un conseil, celui de rentrer tranquillement à ton campement. Il a ajouté que le revenant les avait razziés, lui et le cheval, et que maintenant ils étaient en route pour l'autre monde. »

A ces paroles Moriyéré, comprenant son infortune, se mord le doigt jusqu'à la deuxième phalange. Il verse des larmes de rage. La tête basse, il prend le chemin du retour. Quand enfin il arrive au campement, ses parents et ses amis le pressent de questions :

« Ô toi, parti-cavalier-et-revenu-piéton, où as-tu semé ta monture ?

— Hélas ! répond Moriyéré. Votre stupidité n'a fait que nous appauvrir, mais ma propre bêtise, elle, a ruiné tout le campement. Notre unique cheval m'a en effet été ravi par Mettakâta, ou, si vous préférez, par le revenant au coccyx calamiteux...

— Qu'à cela ne tienne ! répliquent les braves pêcheurs. Consolons-nous et travaillons à refaire notre fortune. Mieux vaut encore être crédules comme nous le sommes plutôt que menteurs et méchants comme notre voleur ! »

Alors les Bozos font sortir leurs tam-tams aux puissantes résonances. Ils passent une bonne partie de la nuit à danser et à conspuer en musique leurs voisins les Peuls. Puis, le matin venu, au premier chant du coq, ils prennent leurs filets de pêche et se remettent gaiement à l'ouvrage, ayant déjà complètement oublié leur mésaventure.

L'avenir, pour eux, demeure toujours plein de promesses, et c'est pourquoi ils travaillent sans relâche. Dieu les en récompensera certainement un jour.

*

Ceci est un conte peul sur les Bozos, mais les Bozos ne manquent pas, de leur côté, de contes tout aussi taquins sur les Peuls...

Fleurs de la Chevalerie Bambara

Récit bambara

L'Afrique, elle aussi, a eu sa Chevalerie. Pour n'être point organisée comme la Chevalerie européenne, elle n'en a pas pour autant compté moins de braves, ni moins cultivé le sens de l'honneur et la noblesse de cœur.

Jadis, les Chevaliers africains pouvaient servir un roi ou agir pour leur propre compte.

Le présent récit – choisi à titre d'exemple parmi beaucoup d'autres – m'a été rapporté par Siné Koumaré, traditionaliste bambara.

« Ce que je m'en vais te conter, me dit Siné Koumaré, est un fait véridique vécu au pays de Kala[1], ce pays où Toro Koro Mari, frère de Bna Ali le dernier empereur de Ségou, se retira pour continuer la lutte contre les Toucouleurs d'Ahmadou Cheikou, premier fils d'El Hadj Omar. »

Deux guerriers, également réputés pour leur bravoure, vivaient au pays de Kala. Braves, certes, tous

1. Kala : pays situé sur la rive gauche du Niger, entre Sokolo et Sansanding. C'est un pays célèbre dans les chroniques historiques du Soudan.

deux l'étaient, et au double sens du mot : non seulement ils étaient courageux, mais ils savaient aussi être généreux sans affectation, bienveillants et toujours souriants quoique sans moquerie malicieuse.

En ville, un *bilakoro* (enfant non circoncis) pouvait se permettre de leur tirer les oreilles, et même la barbe, sans qu'ils fassent autre chose qu'en rire, et parfois jusqu'aux larmes, tant était grande leur gentillesse. Mais dès que le tam-tam de guerre retentissait, que les trompettes et les cylindres métalliques d'alarme mêlaient leurs appels et qu'au loin la poudre des assaillants se faisait éloquente, ils redevenaient ce qu'en réalité ils n'avaient jamais cessé d'être : des cavaliers intrépides, des combattants invincibles qui renversaient tout sur leur passage, aussi aisément que le flot de l'inondation courbe les hautes herbes dans les vallées inondables.

Le plus âgé des deux se nommait Kala N'dji Koroba, ce qui signifie l'« Aîné de Kala » ou le « Grand-Frère de Kala ». On appelait le plus jeune Kala N'dji Thieni, c'est-à-dire le « Cadet de Kala » ou le « Petit Frère de Kala ».

Kala N'dji Thieni avait pour lui la vigueur et l'intrépidité du jeune âge. Il était habité par l'ambition de celui qui se croit né pour conquérir tout ce que la terre produit de plus précieux et de plus rare. Il croyait que la tourterelle ne roucoulait dans les branchages que pour saluer son passage, que l'oiseau-trompette n'ouvrait son bec que pour chanter ses louanges et que les fleurs des profondeurs de la brousse, comme celles qui émaillent les plaines après l'inondation, n'ouvraient leurs pétales que pour lui sourire et parfumer son chemin !

Les griots disaient : « Kala N'dji Thieni est si brave que chaque matin il va réveiller la mort dans son lit en la tirant par la queue ! »

Quant à Kala N'dji Koroba, c'était un maître d'armes et un tireur inégalable. C'était aussi l'homme le moins pressé du monde, l'homme au cœur impassible !

Kala N'dji Thieni ne voyait jamais un combattant sans se mesurer avec lui ; Kala N'dji Koroba, lui, ne se mesurait jamais à un combattant sans en faire un cadavre.

Kala N'dji Thieni fonçait sur l'ennemi avec la rapidité d'un aigle fondant sur sa proie. Aussi lui arrivait-il souvent de se heurter à des adversaires coriaces ; ceux-ci lui arrachaient bien parfois quelques poils, mais sans jamais réussir à l'abattre. Quant à Kala N'dji Koroba, c'était le vieux lion rompu à la chasse. Quand il engageait une attaque, elle était imparable ; et si son adversaire bondissait sur lui, il l'esquivait, bondissait à son tour et le terrassait sans coup férir. Sa prudence ne l'empêchait nullement d'être un véritable lion, mais un lion parfois dédaigneux qui, sur le champ de bataille, savait ne pas céder à la précipitation.

Kala N'dji Koroba, *sakanapat-ti !* (sapristi !) ne pointait son arme que pour tirer sur la languette, et celle-ci ne se rabattait jamais sans cracher une mort propulsée par un feu de Dieu ! Les coups tirés par Kala N'dji Koroba étaient immanquablement applaudis par un écho monstrueux dont l'intensité et la durée faisaient longtemps danser singes et écureuils dans les branchages touffus. Si Kala N'dji Koroba visait un homme au front, il ne le ratait que par pitié, se contentant de lui crever un œil pour l'ajouter au nombre des borgnes, ces êtres malchanceux que l'on évite de croiser de bon matin quand on vient de quitter son lit...

Néanmoins, certaines personnes disaient tout bas – d'aucunes le disaient même bien haut – « Dans tout le Kala, il n'est personne qui oserait se mesurer avec Kala N'dji Koroba si ce n'est Kala N'dji Thieni. Il serait le seul à pouvoir chausser les sandales[1] de Kala N'dji Koroba si celui-ci venait à disparaître. »

Cette comparaison n'était guère de nature à plaire à Kala N'dji Koroba. Aussi, un jour, déclara-t-il en public : « Si les gens de Kala persistent à me comparer à Kala N'dji Thieni, le "petit cadet de Kala", je transformerai son dos en face et sa face en dos, et il n'en résultera rien[2] ! »

Depuis qu'il avait fait cette déclaration, le cœur de Kala N'dji Koroba ne cessait d'être rongé par la voix de Satan le « Mauvais Suggestionneur », qui lui susurrait de trancher par le milieu la trame des jours de Kala N'dji Thieni, ce petit chat qui voulait jouer au lion roux !

Des amis de Kala N'dji Thieni avaient eu écho des déclarations de Kala N'dji Koroba. Ils en avisèrent leur compagnon afin qu'il sache ce que le cœur du vieux lion recelait à son encontre. Kala N'dji Thieni leur répondit :

« Mes amis, je vous remercie de votre mise en garde, mais rassurez-vous : jamais Kala N'dji Koroba n'aura ma vie ! Et sachez que si tout le monde tremble devant lui, personnellement je ne me suis jamais senti, en sa présence, autrement qu'en face d'un héros dont je veux imiter les exploits et suivre la trace. Certes, je n'en disconviens pas, la moustache de Kala N'dji Koroba est drue et sa barbe bien dure, mais qui vous dit que je resterai éternellement imberbe et sans moustache ? A cela, j'ajoute à l'intention de Kala N'dji Koroba qu'il ne faut jamais perdre de vue que le gros baobab, respecté même par l'éléphant au cœur de la forêt, n'est jamais issu que d'une graine à peine plus grosse que celle du petit haricot de Baninko ! »

1. « Prendre la place ».
2. C'est-à-dire : ce sera sans conséquence, cela « n'empêchera pas la terre de tourner ».

Le défi était donc lancé, et relevé... en paroles. Comment allait-on s'y prendre pour le transposer en actes ? Kala N'dji Koroba ne pouvait – la tradition le lui interdisait – provoquer un jeune frère[1]. Il lui fallait donc attendre une occasion propice. Celle-ci ne tarda pas à se présenter.

Au pays de Kala vivait aussi une ravissante jouvencelle appelée Téné Thiegni, « Joli Lundi ». Elle était non seulement une amie d'enfance de Kala N'dji Thieni mais, de surcroît, sa Ton-Moussonin, ou « femme d'association »[2].

Comme on le sait, au sein des associations d'âge d'un village, chaque garçon choisit, dans l'association féminine homologue à la sienne, une fille dont il devient l'ami, le chevalier en titre et le protecteur. Il la défend en toutes circonstances et chante sa beauté, ses vertus et ses qualités. La Tradition lui accorde le droit de badiner galamment avec elle[3], mais lui impose le devoir de sauvegarder sa vertu. Sa Ton-Moussonin est en quelque sorte sa « dame de cœur platonique », et son titre de gloire est de la conduire vierge au mariage en dépit des moments d'intimité qu'ils ont parfois pu vivre ensemble.

Mais la Tradition a ses lois, qui ne sont pas toujours conformes aux inclinations enfantines ; aussi est-ce Kala N'dji Koroba qui, en raison de liens de famille traditionnels, épousa Téné Thiegni, promise à lui dès son jeune âge.

1. Les jeunes gens d'un même village sont considérés comme des frères, selon les règles de la fraternité africaine traditionnelle de la savane.
2. Littéralement, « petite femme d'association ». *Ton* = association : *mousso* = femme ; *nin* est un diminutif. Les Peuls disent *felliore :* « ma part ». On peut traduire par « Valentin » et « Valentine ».
3. On dirait aujourd'hui : « flirter ».

De ce jour, les amis de Kala N'dji Thieni se mirent à taquiner leur jeune camarade. Ils composèrent un dialogue qu'ils récitaient à deux chaque fois que Kala N'dji Thieni se trouvait parmi eux :

« Dis-moi, ô Zan, connaîtrais-tu par hasard, tout à fait par hasard, une jeune femme nommée Téné Thiegni ?

— Je la connais parfaitement, mon cher M'Pé.

— Voudrais-tu me la décrire ? Car moi, tu peux m'en croire, je ne la connais pas du tout.

— Certes oui, mon frère Téné Thiegni, comme son nom l'indique, est un vrai Joli Lundi. C'est la belle aux seins fermes et parfaitement ronds ! Wallaye ! (Par Dieu !) Elle est belle de profil, belle de face, belle de dos, belle sous tous les angles ! C'est une nymphe aux dents blanches comme des cauris d'Orient, aux lèvres minces comme celles des femmes claires de l'Orient lointain.

— Et sa croupe, comment est-elle ?

— Ô M'Pé ! La croupe de Téné Thiegni est la plus belle qui soit au monde ! Jamais personne ne réussira à égaler son galbe, car le moule qui a servi à la former fut emporté par des Esprits jusqu'à la voûte des cieux où l'admirent les âmes en instance d'incarnation.

— Ô Zan ! *Alla kosso* (à cause de Dieu), parle-moi de la démarche de Téné Thiegni !

— La démarche de Téné Thiegni ? Quelle allure ! Quel balancement ! Le mouvement gracieux de ses hanches n'a rien à envier à celui de la langoureuse autruche femelle lorsqu'elle s'achemine sans hâte vers un rendez-vous d'amour, au sommet d'une crête blanche des dunes du Sahel !

— On dit que Téné Thiegni sait bien balancer et bercer son corps. Est-ce vrai ?

— Certes oui, c'est la vérité pur sang ! Si Téné Thiegni berçait sa taille devant le plus vertueux et le plus fidèle des maris, tu verrais ce dernier aller à cloche-pied ; bien mieux, tu le verrais courir, que dis-je, galoper comme un poulain jamais effleuré par une selle !

— Et que ferait devant elle un Sacrificateur-Maître du couteau rituel[1] ?

— Si Téné Thiegni venait en souriant, accompagnant son sourire d'une œillade prometteuse, dire au Sacrificateur : "Si tu veux de moi, démonte ce couteau pièce par pièce et donne-le-moi", c'est de la main droite qu'il lui remettrait la lame sacrée et de la main gauche qu'il lui tendrait le manche consacré !

— Eh ! Où est donc actuellement Téné Thiegni ?

— Hélas ! Téné Thiegni se trouve en ce moment sur une barque de fer. Cette embarcation métallique flotte sur un étang profond, rempli de reptiles et situé au cœur d'une forêt si dense qu'elle inspire de la terreur même à Koro-Diarra, le Grand-Frère-Lion, Roi de la jungle.

« Personne, désormais, ne pourra plus voir Téné Thiegni ni badiner avec elle comme au beau temps où, par les nuits de pleine lune, elle venait danser le *Ko-Fili*[2] en traînant derrière elle ses longs *lempe*, les deux bandes de coton symboles de virginité.

— Et pourquoi ce changement malencontreux ?

— Parce qu'en vertu de la règle rigide, c'est Kala N'dji Koroba qui l'a épousée. Il a payé les colas et tué le bœuf matrimonial. Il a donné les morceaux de sel sacramentels. Il a cultivé les champs de ses beaux-parents. Et ma foi, le jour venu, c'est un cortège choisi qui a escorté les deux époux. Kala N'dji Koroba a

1. Exemple type de moralité publique puisque tenu, par des interdits rituels, à ne jamais commettre l'adultère et à ne jamais mentir.
2. Danse traditionnelle des jeunes filles.

connu un bonheur qui ne peut qu'augmenter son courage et prolonger ses jours. Quant à Téné Thiegni, elle ne saurait plus être la Ton-Moussonin de personne. Qui est perdant, qui est "mort" dans cette histoire ? »

Tous les amis présents reprenaient alors en chœur : « C'est Kala N'dji Thieni qui est perdant et mort ! Pourquoi ? Parce que lui seul avait le privilège de fréquents tête-à-tête avec la belle Téné, parce que lui seul était son cavalier servant. »

Après quoi tous les amis battaient des mains en répétant : « Cavalier perdant, mâle évincé ! »

En fait, Kala N'dji Thieni se mourait d'amour pour son amie d'enfance. Il aspirait plus que tout à revoir celle qu'il avait tant espéré pouvoir épouser, mais dont la Tradition lui interdisait d'obtenir la main en premières noces.

Le temps passa. La longue séparation ne fit que renforcer l'amour de Kala N'dji Thieni, et les satires moqueuses de ses camarades achevèrent de lui faire perdre la tête. Finalement, il se décida dans son cœur à violer la maison de celui dont le seul nom suffisait à mettre en déroute les bandits de grand chemin et même les guerriers de grande réputation.

A cette époque, une armée étrangère menaça la région d'invasion. Les troupes de Kala, dont nos deux héros étaient les plus beaux fleurons, se portèrent au-devant des envahisseurs. Après une dizaine de kilomètres de marche, le chef de l'expédition donna ordre de s'arrêter et décida qu'on attendrait là l'ennemi.

Kala N'dji Thieni se prit à penser à celle qu'il aimait. Il se dit : « Celui qui part à la guerre peut en revenir, mais il peut aussi terminer son voyage au pays mystérieux d'où l'on ne revient pas. Certes, mourir est la fin naturelle de tout être vivant et je ne considère pas la mort comme une chose horrible. Mais mourir sans avoir revu Téné et sans prouver à mes amis jaloux et taquins que je puis affronter n'importe quel danger quand il s'agit d'elle, cela, en vérité, m'est insupportable ! Il me faut donc la revoir vaille que vaille ! »

Une fois sa décision prise, il décida d'attendre la tombée de la nuit afin de quitter le camp sans se faire remarquer.

L'heure vint enfin où le soleil, après avoir embrasé la nature, rétracta ses rayons, comme un fauve fatigué de combattre rétracte ses griffes. L'impatience de Kala N'dji Thieni était si grande qu'elle l'empêcha d'admirer la splendide beauté du disque solaire s'enfonçant dans les ténèbres de la nuit naissante. Quand l'obscurité eut enfin chassé entièrement la lumière du jour, quand les hyènes et les lions sortirent de leur tanière et que chaque bosquet prit l'allure d'un monstre à l'affût, Kala N'dji Thieni estima le moment venu de retourner au village afin de revoir, pour la dernière fois peut-être, la belle Téné, cette jeune et délicieuse fille bambara aux lèvres agréablement bleuies par un savant tatouage.

Le jeune homme se leva avec précaution. Après s'être emparé sans bruit de sa selle, il se faufila jusqu'à son cheval, qu'il libéra de ses entraves. Toujours silencieusement, il le sella, l'enfourcha et disparut dans les ténèbres épaisses d'une nuit sans lune qu'à cette époque du mois aucune étoile notable ne venait éclairer.

De son côté, Kala N'dji Koroba, qui ne dormait pas, vit s'éloigner Kala N'dji Thieni. Il se demanda ce qui pouvait bien le faire partir ainsi presque à la sauvette. Pour lui, ce garçon plein de jeunesse et d'ambition, mais aussi d'une imprudence folle, cherchait sûrement un moyen d'aller surprendre l'ennemi et de l'attaquer seul ou, tout au moins, d'être le premier à l'assaillir, dans le souci orgueilleux d'ajouter un pinacle à la façade de sa gloire. Cette jeune gloire, aux yeux de Kala N'dji Koroba, n'était déjà que trop spectaculaire. « Je ne laisserai pas ce jeune fou commettre une sottise irréparable, se dit-il. Il est pour Kala un sujet rare. Je vais le suivre afin qu'en cas de difficulté il me trouve prêt à le secourir. De cette façon, il saura que le lionceau a toujours besoin des leçons du vieux lion, et surtout de son assistance ! »

A son tour, Kala N'dji Koroba sella son cheval, prit ses armes d'attaque et de défense et s'enfonça dans la nuit. Il suivait Kala N'dji Thieni à distance respectable, afin de n'être point découvert. Précaution bien superflue ! Kala N'dji Thieni allait au grand galop, ne se souciant nullement des rencontres qu'il pouvait faire. Il ne retournait même point la tête, semblant mépriser tout danger qui aurait pu surgir par-derrière. Il fredonnait un couplet de guerre entrecoupé de quelques morceaux poétiques évocateurs d'amours désespérées.

Quelle ne fut pas la stupéfaction de Kala N'dji Koroba quand, au croisement de la route, il vit le jeune homme emprunter le chemin qui menait au village ! « Où diable veut-il aller ainsi ? s'interrogea-t-il. Peut-être a-t-il omis de faire un sacrifice propitiatoire avant de prendre le départ ? Ou a-t-il oublié de prendre avec lui le plus efficace de ses gris-gris ? A moins qu'il ne soit invité à quelque rendez-vous galant !... Eh bien, suivons-le, et nous serons fixés de nos propres yeux. »

A l'entrée du bourg, le jeune homme, sans aucune hésitation, s'engagea dans la ruelle qui ne pouvait mener qu'à la demeure de Kala N'dji Koroba. L'esprit du « fauve roux » se brouilla, ses cheveux se dressèrent sur sa tête tandis que se hérissaient tous les poils de son corps ! En un éclair de temps tout juste suffisant pour fermer et rouvrir les paupières, il fit mille et cent onze suppositions, depuis les plus rassurantes jusqu'aux plus cruelles. Les deux groupes d'idées engagèrent une lutte serrée dans les quatre cavités de son cœur. Finalement, les mauvaises terrassèrent les bonnes.

Pendant ce temps, Kala N'dji Thieni était arrivé devant la maison de son frère d'armes. Il entra dans le vestibule, traversa la cour et alla frapper à la porte de Téné. Kala N'dji Koroba, le cœur battant la chamade, l'avait suivi, silencieux comme une ombre. Il alla se poster en un recoin d'où il pouvait tout voir et tout entendre. Il leva son fusil, prêt à tirer.

Au bout d'un moment, on entendit la voix de Téné :
« Qui va là ?
— C'est moi, Kala N'dji Thieni. Je viens te voir. Si tu veux sortir, cela me ferait infiniment plaisir.
— Me voir à pareille heure ? Il faut que tu aies une bien mauvaise nouvelle à m'annoncer ! Je t'en prie, hâte-toi de me dire mon malheur !
— Non, non, Téné Thiegni ! Je ne suis pas un messager de malheur. Au contraire, je viens vers toi pour te dire quelques mots privés qui ne regardent que moi. Immédiatement après, je repartirai.
— Alors, advienne que pourra ! » fit Téné Thiegni. Elle ouvrit largement la porte, sortit de la chambre une natte historiée du Macina, la jeta sur le sol, puis plaça à chacune de ses extrémités un coussin de peau ouvragée bourré de graines odoriférantes. Elle alluma une lampe à huile, sortit son panier à coton et prit place à une extrémité de la natte ; Kala N'dji Thieni s'assit à l'autre extrémité.

« Pourquoi es-tu venu me voir ? questionna-t-elle à nouveau.
— Téné Thiegni... Nous sommes camarades d'âge, n'est-ce pas ? Je t'ai toujours respectée, j'ai toujours défendu ton honneur. Intacte je t'ai rencontrée, intacte je t'ai remise à celui à qui tu devais appartenir.

— Tu dis vrai, reconnut la jeune femme. Mais je ne comprends pas que toi, qui t'es toujours montré si retenu et si correct alors que j'étais à prendre et à ta merci, tu aies attendu que je sois devenue la propriété sacrée de quelqu'un d'autre – et quel autre ! – pour venir de nuit, contre toutes les règles de la morale bambara et de la bienséance de Kala, forcer ma porte. Non, mon frère Kala N'dji Thieni, hâte-toi de me dire que tu viens m'apprendre la mort de mon mari et que tu veux me préparer à mon malheur avant de me l'annoncer. Je suis très touchée de tes ménagements, mais je préfère connaître toute la vérité. Le plus vite sera le mieux pour moi.

— Il n'y a que Dieu, qui l'a créé, pour tuer ton mari, répliqua Kala N'dji Thieni. C'est un vrai guerrier... »

Kala N'dji Thieni s'arrêta comme s'il était pris de court. Il sortit sa pipe, se mit à la bourrer nonchalamment, puis retira, d'un petit sachet confectionné dans une bande de coton, une pierre à silex, un morceau de fer et de l'amadou. Il prit une pincée d'amadou, l'ajusta à la pierre et donna deux coups secs avec son morceau de fer. Des étincelles jaillirent du silex et allumèrent l'amadou. Le jeune homme alluma sa pipe. Il en tira tranquillement deux bouffées qu'il lança dans les traverses du toit sous lequel il était assis face à Téné Thiegni. Il contempla longuement la jeune femme d'un regard dévorant, puis poussa un profond soupir.

Dans son recoin obscur, Kala N'dji Koroba, qui tenait les deux jeunes gens à portée de son fusil, ramena son arme vers lui et attendit, sans trop savoir lui-même pourquoi. Il avait l'oreille si tendue que rien de ce que pouvaient dire les deux amoureux – car sans nul doute Téné était elle aussi amoureuse de son jeune camarade, bien que loyalement fidèle à son époux – ne lui échappait.

Comme le voulait la coutume, Téné Thiegni filait

son coton tandis que Kala N'dji Thieni la regardait faire sans l'interrompre.

Sur ces entrefaites, le chat de Téné Thiegni sortit de la case. Il vint faire le gros dos tout en tournant autour de sa maîtresse comme s'il voulait la placer au centre d'un cercle magique inviolable, puis il alla se coucher entre les deux jeunes gens, au beau milieu de la natte.

Téné reprit la parole :

« J'ai toujours entendu les griots et les captifs vous mettre en parallèle, mon mari et toi. J'aimerais savoir ce que vaut mon mari à la guerre. Pourrais-tu me donner ton appréciation sur lui ?

— Les griots et les captifs de case sont des menteurs patentés. Ils disent beaucoup de ce qu'il leur plaît de dire, mais bien peu la vérité pur sang. Ils connaissent mieux le noir mensonge que la blanche vérité. Si tu veux connaître l'évidence sur ton époux, sache que... »

A ce moment, un petit bruit insolite se fit entendre au-dessus de leurs têtes, entre les traverses de bois du plafond et la paille de la toiture. Le chat leva les yeux. Son regard croisa celui d'une souris qui, avec d'autres, était en train de grignoter la paille du toit. Émue, la malheureuse bestiole perdit l'équilibre et vint s'aplatir presque entre les pattes du chat qui l'étrangla sans peine.

« Téné, dit aussitôt Kala N'dji Thieni, as-tu vu comment ton chat a traité la souris ?

— Certes oui, je l'ai bien vu. Et leur lutte n'a pas duré.

— Eh bien ! C'est ainsi que ton mari traite tout homme qui ose se mesurer avec lui. Il est sans conteste le plus valeureux des enfants de Kala. C'est lui le modèle que nous imitons. Jamais il n'a braqué ses yeux sur un homme sans l'avoir fait pisser de terreur !

— Je suis fière de mon époux, dit Téné Thiegni, et

fière aussi de toi qui le connais si bien et qui, pourtant, oses venir violer sa maison. »

Après un moment de silence, elle revint à la charge :

« Frère, jusqu'ici tu ne m'as pas encore révélé le motif de cette visite nocturne qui nous souille tous deux et qui peut ouvrir deux tombes fraîches...

— Eh bien, Téné, je suis venu ce soir prendre congé de toi. Demain, nous irons à l'attaque. Quand l'ennemi apparaîtra, j'en tuerai un grand nombre, c'est certain, mais peut-être serai-je également tué. Or, mourir sans avoir entendu ton rire argentin, mourir sans avoir pris une provision de tes douces paroles, ce serait me condamner à revivre chaque jour une nouvelle mort dans le pays d'outre-tombe où, dit-on, on ne meurt jamais. »

La causerie continua, paisible, sans qu'aucune attitude vienne trahir, chez les deux jeunes gens, une intention de nature à affecter le cœur d'un mari.

Téné Thiegni, constatant que son compagnon n'extériorisait aucun des gestes auxquels aurait pu se livrer un jeune homme bien portant mis en présence d'une jeune femme désirable, lui dit :

« Vraiment, Kala N'dji Thieni, tu n'es pas venu pour tenter de me posséder ?

— Non, Téné, je ne suis pas venu pour cela. Je continue et continuerai toujours de respecter la femme que je n'ai cessé d'aimer et de respecter même lorsqu'elle était à ma merci.

— Alors tu es complètement fou de venir dans une maison dont le propriétaire, comme tu le dis toi-même, fait "pisser les autres de terreur" rien qu'en les regardant. Tu sais bien que si mon mari te surprenait dans sa maison, auprès de sa femme, il n'hésiterait pas à t'envoyer dans l'autre monde !

— Oui, Téné, je sais tout cela, mais je dois t'avouer qu'en vérité je suis fou. Et il est de la nature de certains fous d'aimer violer des lieux interdits au risque de leur vie, uniquement pour s'y arrêter un moment et admirer des choses qu'ils ne peuvent ni ne veulent posséder. Téné, tu es pour moi un trésor inestimable, respectable, que je me plais à contempler au prix de ma vie mais que je ne déroberai jamais.

« D'ailleurs, l'aurore ne va pas tarder à poindre et à rendre ses couleurs à la nature. La douce nuit va nous priver de sa complicité. Il me faut donc repartir. Je ne voudrais pas que mon aîné Kala N'dji Koroba s'aperçoive de mon escapade. Il me croirait mort et serait capable de semer bien des crânes sur le sol pour me venger ! »

A ces paroles, Kala N'dji Koroba quitta sans bruit sa cachette obscure, rejoignit rapidement sa monture et disparut dans la nuit. Quelques instants plus tard, Kala N'dji Thieni en faisait autant.

Le lendemain, nos deux héros attaquèrent les soldats ennemis. Ils en tuèrent beaucoup, en blessèrent un grand nombre et ramenèrent une longue file de captifs de guerre. L'armée ennemie fut mise en déroute et les troupes de Kala, victorieuses, rentrèrent au logis.

Quelques jours après leur retour, Kala N'dji Koroba fit préparer par son épouse un hydromel de qualité supérieure. Il invita Kala N'dji Thieni à venir le boire avec lui en jouant au *m'pari*[1].

---

1. Ce jeu, très en honneur chez les anciens Soudanais, se pratique exactement comme le jeu de dames, mais les pions sont remplacés par des bâtonnets de bois et de paille. Le damier consiste en un carré tracé sur un tas de sable ou de poussière. La coutume veut que les joueurs de *m'pari* accompagnent leur jeu de déclamations soit en poésie, soit en prose. Souvent, ces paroles sont provocatrices et contiennent une invite directe ou indirecte à un duel. Celui-ci peut se limiter à un échange de paroles désobligeantes, mais il n'est pas rare qu'un *m'pari* donne lieu à un règlement par les armes.

Les deux joueurs s'installèrent face à face. Kala N'dji Koroba pria son épouse de ne pas s'éloigner afin de pouvoir servir à boire à son invité.

Téné servit une première calebassée d'hydromel aux deux convives. Kala N'dji Koroba vida sa coupe, puis, la reposant, prononça la formule traditionnelle de « flatterie » envers la boisson : « Liquide buvable, mais aussi liquide haïssable, car il amène un simple sujet à tenir des propos dignes de la bouche d'un suzerain. » Après quoi, prenant entre deux doigts de sa main droite deux bâtonnets de bois, il les planta dans l'une des cases du jeu. « Bois, invité ! » fit-il en fixant ostensiblement Kala N'dji Thieni. Puis, s'adressant aux bâtonnets : « Fichez-vous là dans ce trou, pour signifier à celui qui a des oreilles pour entendre qu'il y a quelques jours, à Kala, sous le toit d'un hangar, à une heure très avancée de la nuit, à la lueur d'une lumière falote, des paroles ont été prononcées. Et si elles ne l'avaient pas été, alors Kala serait aujourd'hui sens dessus dessous. L'inquiétude et la peur y régneraient en maîtres, au point qu'une chamelle enceinte chercherait à s'en évader par le chas d'une aiguille ! »

Il leva sa coupe : « Kala N'dji Thieni, mon frère puîné, buvons ! Le garçon qui ne boit pas ne relèvera jamais un défi ! »

Kala N'dji Thieni comprit l'allusion. Il lui appartenait de relever le défi d'une manière ou d'une autre. Sans perdre de temps à se demander comment Kala N'dji Koroba avait eu vent de son entrevue avec Téné, ni, surtout, comment il avait pu entendre leurs propos, il répliqua vivement, plantant deux pailles dans un trou du carré :

« Pailles de riposte énergique, plantez-vous là, droites comme un jeune palmier dont les vents impétueux ne peuvent ployer la taille. Et dites, à qui désire l'entendre ou non, que si celui qui a prononcé certaines paroles sous le hangar où se tenait assise la plus belle et la plus adorable des femmes du Kala avait soupçonné que ses paroles seraient entendues d'une tierce oreille humaine, aujourd'hui la ville serait sens dessus dessous ! Et dussent le Kala tout entier et le monde avec lui en être bouleversés au point que le Niger en retourne à sa source, certes, quelles qu'en dussent être les conséquences, les paroles qui ont été proférées ne l'auraient jamais été[1] ! »

Téné Thiegni servit alors une seconde calebassée d'hydromel aux deux convives. De sa voix douce, elle dit :

« Celui qui trouve une fortune sans maître et la garde intacte jusqu'à l'arrivée du propriétaire n'est-il pas un homme digne de confiance et d'admiration ? Quoi qu'il en soit, moi je dis : une femme qui se donnerait à tous les hommes avec qui il lui est donné de parler ou de rire par simple courtoisie ne serait plus une femme digne de ce nom, mais un puits à la portée d'un caravansérail et ouvert à tous les voyageurs, de toutes conditions et de toutes castes. »

Kala N'dji Koroba porta la calebasse à ses lèvres. Kala N'dji Thieni en fit autant. La partie continua et la soirée s'acheva dans la paix et la bonne humeur.

*

Grâce au dialogue allusif permis par le m'pari, *chacun put ainsi faire la preuve de son courage, de sa noblesse et de sa maîtrise de soi. En outre, selon la tradition de la savane, celui qui a conduit sa Ton-Moussonin pure à son mariage devient l'ami intime de*

1. Kala N'dji Thieni laisse entendre par là que, s'il avait connu la présence de Kala N'dji Koroba, il n'aurait pas prononcé son éloge et aurait fait fi de toute prudence.

la famille, l'homme de toute confiance et le « second père » du premier enfant à naître. « Celui, dit-on, qui n'a pas goûté à un plat quand le plat était dans sa main ne va pas s'abaisser à en voler une bouchée quand le plat ne lui appartient plus... »

Postface

Propos d'Amadou Hampâté Bâ sur la fonction des contes africains

(choisis et présentés par Hélène Heckmann[1])

La première édition du conte *Petit Bodiel* (publié par les Nouvelles Éditions Africaines d'Abidjan en 1977 et épuisé depuis de nombreuses années) ne comportait aucun texte introductif de présentation. Il nous a paru utile et intéressant pour le lecteur, à l'occasion de cette nouvelle édition[2], de présenter ici des propos d'Amadou Hampâté Bâ lui-même, déjà publiés ou inédits, sur

1. Légataire littéraire d'Amadou Hampâté Bâ et responsable de son fonds d'archives.
2. La première édition de *Petit Bodiel* avait été réalisée à partir d'une première frappe d'origine, non revue, à l'époque, par Amadou Hampâté Bâ lui-même et confiée directement aux NEA pour impression, sans introduction. Pour cette nouvelle édition, certaines corrections légères, de pure forme, ont dû être apportées par endroits pour répondre au vœu qu'Amadou Hampâté Bâ avait exprimé après la parution de l'ouvrage. Il souhaitait, entre autres, simplifier la transcription des noms peuls figurant dans le texte, afin de les rendre plus aisés à lire et à prononcer pour les lecteurs non peuls, en particulier pour les enfants.

la fonction générale du conte dans la culture orale africaine, et sur *Petit Bodiel* en particulier.

Un conte, avait coutume de dire Amadou Hampâté
Bâ, *c'est le message d'hier, destiné à demain, transmis
à travers aujourd'hui.*

« Les mythes, contes, légendes ou jeux d'enfants,
précisait-il, ont souvent constitué, pour les sages des
temps anciens, un moyen de transmettre à travers les
siècles d'une manière plus ou moins voilée, par le langage des images, des connaissances qui, reçues dès
l'enfance, resteront gravées dans la mémoire profonde
de l'individu pour ressurgir peut-être, au moment
approprié, éclairées d'un sens nouveau. *"Si vous voulez
sauver des connaissances et les faire voyager à travers
le temps, disaient les vieux initiés bambaras, confiez-
les aux enfants*[1]." »

En Afrique traditionnelle, en effet, le conte n'était
pas seulement récréatif, mais support de formation et
d'enseignement s'adressant à tous les âges. Les maîtres
conteurs pouvaient introduire librement des développements éducatifs au fil du récit :

« Dans tout *jantol* (c'est-à-dire tout grand conte
peul, initiatique ou non – mais cela est sans doute vrai
de tous les grands contes des différentes ethnies), la
trame de l'histoire – c'est-à-dire sa progression, les
étapes, les symboles, les faits significatifs – ne doit
jamais être changée par le conteur traditionnel. Toute-
fois, celui-ci peut apporter des variantes sur des points
secondaires, embellir, développer ou abréger certaines
parties selon la réceptivité de son auditoire. Avant tout,
le but du conteur, c'est d'intéresser ceux qui l'en-
tourent, et surtout éviter qu'ils ne s'ennuient. Un conte
doit toujours être agréable à écouter et, à certains

1. *Contes initiatiques peuls*, Editions Stock, 1994. Introduction à *Njeddo Dewal, mère de la calamité*, p. 9.

moments, doit pouvoir dérider les plus austères. Un conte sans rire est comme un aliment sans sel. (...)

« Les conteurs traditionnels qualifiés ont coutume d'entrecouper leurs récits de nombreux développements instructifs. Chaque arbre, chaque animal peut faire l'objet de tout un enseignement à la fois pratique et symbolique [1]. » Selon le moment, l'âge ou le niveau d'attention de son auditoire, le conteur peut contracter le conte et le réduire à l'essentiel, ou le développer à l'infini...

Il en va du conte comme de l'enseignement africain traditionnel. En effet ce dernier, rappelait constamment Amadou Hampâté Bâ, n'est jamais systématique, mais lié aux circonstances de la vie. Lorsqu'un maître se promène dans la brousse avec un groupe d'élèves, petits ou grands, chaque détail, chaque événement rencontré sur le chemin – une plante, un baobab, une colonne de fourmis, une termitière... – peut donner lieu à tout un enseignement non seulement d'ordre pratique ou scientifique, mais d'ordre moral ou social, voire initiatique, car toute chose est porteuse de symbole et langage à déchiffrer : « Tout ce qui est enseigne en une parole muette. La forme est langage. L'être est langage. Tout est langage [2]. » A chaque détour du chemin, l'une des pages du « grand livre de la nature » peut révéler des richesses insoupçonnées. Ainsi en va-t-il du conte traditionnel : on y avance comme dans un paysage où chaque détail apparemment insignifiant peut recéler un trésor de significations [3]...

C'est d'autant plus vrai que la plupart de ces grands

1. *Contes initiatiques peuls*, *op. cit.*, p. 9.
2. « En Afrique, cet art où la main écoute », article d'A.H.Bâ dans *Le Courrier de l'Unesco*, février 1976.
3. Cf. *Contes initiatiques peuls, Njeddo Dewal* et *Kaïdara* où de très nombreuses notes développent les sens symbolique ou spirituel de chaque élément du conte.

contes traditionnels peuvent être entendus à plusieurs niveaux, dont les plus profonds ne se dévoilent qu'avec le temps, ou l'aide d'un maître. Au premier niveau, purement récréatif, le conte vise à distraire les petits et les grands ; mais pour les enfants, qui le racontent à leur tour – ou plutôt le « jouent » – devant leur famille ou leurs petits camarades, il constitue aussi un apprentissage du langage et de certains mécanismes de pensée [1]. A un autre niveau, le conte est un support d'enseignement pour l'initiation aux règles morales, sociales et traditionnelles de la société, dans la mesure où il révèle ce que doit être – ou ne pas être – le comportement humain idéal au sein de la famille ou de la communauté. Enfin, le conte est dit initiatique « dans la mesure où il illustre les attitudes à imiter ou à rejeter, les pièges à discerner et les étapes à franchir lorsqu'on est engagé dans la voie difficile de la conquête et de l'accomplissement de soi [2] ». Il peut alors servir de trame d'enseignement dans les sociétés initiatiques ou confréries religieuses.

Le préambule traditionnel du conte *Kaïdara* évoque d'emblée cette pluralité de niveaux :

Conte, conté, à conter... Es-tu véridique ?
Pour les bambins qui s'ébattent au clair de lune
mon conte est une histoire fantastique...
Pour les fileuses de coton pendant les longues nuits
de la saison froide, mon récit est un passe-temps
délectable.
Pour les mentons velus et les talons rugueux [3]

1. Cf. les travaux de Mme Suzy Platiel, linguiste ethnologue, chercheur au CNRS, professeur à l'Inalco.
2. *Contes initiatiques peuls, op. cit.*, p. 9.
3. C'est-à-dire les gens chargés d'expérience, la barbe étant symbole d'âge et les talons rugueux symbole de longue marche sur la route de la vie.

c'est une véritable révélation.
Je suis donc à la fois futile, utile et instructeur[1]*...*

Divertissement, récréation instructive ou significa-tion supérieure, « tous ces niveaux se trouvent inclus dans le même conte, et c'est pourquoi le conte de *Kaï-dara* peut être raconté aussi bien à des enfants que développé à des savants. Il n'y a pas de séparation entre ces différents sens. Ils s'imbriquent les uns dans les autres. En Afrique, il n'y a pas de séparations, pas de systématisation[2]. »

Le conte traditionnel a aussi une autre vertu : celle d'agir au fil des jours, pour celui qui le porte en lui-même, comme un ferment et un révélateur :

« Dans la société traditionnelle, chaque *jantol* (grand conte) est comme un livre que le maître récite et commente. Le jeune, lui, doit écouter, se laisser impré-gner, retenir le conte et, autant que possible, le revivre en lui-même. On lui recommande (comme pour *Kaï-dara)* de revenir sans cesse au conte à l'occasion des événements marquants de sa vie. Au fur et à mesure de son évolution intérieure, sa compréhension se modi-fiera, il y découvrira des significations nouvelles. Souvent, telle épreuve de sa vie l'éclairera sur le sens profond de tel ou tel épisode du conte ; inversement, celui-ci pourra l'aider à mieux comprendre le sens de ce qu'il est en train de vivre.

« En fait, tous les personnages du conte ont leur cor-respondance en nous-mêmes. (...) Entrer à l'intérieur d'un conte, c'est un peu comme entrer à l'intérieur de

1. *Contes initiatiques peuls, op. cit.*, p. 241. Voir aussi *Kaï-dara*, version poétique bilingue, collection « Classiques afri-cains », Éditions Les Belles Lettres, p. 21.
2. Enregistrement d'un entretien privé chez M. Jean Sviadoc, ancien fonctionnaire de l'Unesco.

soi-même. Un conte est un miroir où chacun peut découvrir sa propre image [1]. »

Le conte *Petit Bodiel*, présenté ici dans sa version longue telle qu'elle est racontée en substance [2] chez les Peuls, n'échappe pas à cette règle. N'y voir qu'un « conte pour enfants » serait le réduire à sa plus simple expression – à son « premier niveau », en quelque sorte – et l'amputer de toutes les richesses, apparentes ou cachées, qui émaillent le récit. L'usage traditionnel a d'ailleurs souvent isolé pour les enfants les épisodes les plus drôles, en particulier ceux où Petit Bodiel roule sans façon les deux « plus grosses viandes de la brousse », Oncle Éléphant et Oncle Hippopotame – épisodes que l'on retrouve dans différentes régions d'Afrique, particulièrement dans les pays de savane au sud du Sahara, où le lièvre est toujours symbole de ruse et de malignité [3]. Notons au passage que le langage parfois truculent du conte n'avait, à l'époque, aucun caractère choquant. En ce temps où tout le monde vivait au contact de la nature, les enfants n'ignoraient rien des réalités de la vie et chacun, petit ou grand, appelait un chat un chat [4]...

1. *Contes initiatiques peuls, op. cit.*, p. 9.
2. Il est aujourd'hui difficile, faute de pouvoir poser la question à A.H. Bâ lui-même, d'évaluer l'importance de son apport personnel dans ce texte. Il est probable qu'elle correspond, comme il l'a maintes fois expliqué, à la liberté laissée au maître conteur traditionnel d'apporter au récit, sans toucher à la trame de fond, des embellissements de syle, des descriptions ou des développements éventuels de son choix. Pour qui connaissait la façon de conter d'Amadou Hampâté Bâ, comment ne pas reconnaître par endroits la marque de son style, de son vocabulaire et de son humour...
3. A rapprocher des aventures de « Leuk le lièvre » dans les contes sénégalais.
4. On trouvera maints exemples de ce libre langage enfantin dans *Amkoullel l'enfant peul*, chapitre « Retour à Bandiagara », pp. 175 à 237 (coll. Babel, pp. 225 à 306).

Quelque temps après la sortie de la première édition de *Petit Bodiel* en 1977, la Radio Télévision de Côte-d'Ivoire consacra à cet ouvrage deux émissions télévisées au cours desquelles Amadou Hampâté Bâ vint répondre aux questions de l'animateur et d'une dizaine de lycéens et lycéennes. Ces rencontres illustrèrent à quel point même un conte drolatique et plein d'humour comme *Petit Bodiel* peut donner lieu à des enseignements profonds, valables pour tous les âges, et dans les domaines les plus variés : fonction sacrée de la mère dans la société traditionnelle, éducation, rôle des jeunes, rapports sociaux entre les hommes, préparation à la mort, pièges d'une initiation ratée, symbolisme numéral, etc.

Ce jour-là, au studio, comme au cours d'une veillée précédant une « longue nuit de saison froide », Amadou Hampâté Bâ, « menton velu, talons rugueux », ouvrit pour ses jeunes compagnons quelques portes du conte, et tira la leçon de certains épisodes. En voici quelques échos [1]...

« ... Dans ce conte, explique-t-il, Petit Bodiel est né paresseux. Cela signifie qu'il ne faut jamais désespérer. Ce n'est pas parce qu'un enfant est paresseux au départ qu'il ne deviendra pas quelque chose... » – Petit Bodiel accomplissait tout de même un petit travail : chaque jour, il allait chercher des sauterelles pour nourrir son vieil ami le fourmilier Yendou l'Oryctérope, ce qui lui vaudra d'obtenir de ce dernier une aide déterminante pour la réussite de son voyage céleste – « Donc, nul bien sans peine ! »

Grâce à la bénédiction de sa maman et à l'aide de l'Oryctérope, Petit Bodiel arrive au troisième ciel, à la

---

1. Tous les passages cités non référencés sont extraits de l'enregistrement vidéo de ces deux émissions télévisées

porte de Papa Bon Dieu Allawalam. « Et là, que demande-t-il ? La ruse. Voilà qui n'est pas intelligent ! Aller au troisième ciel pour demander la ruse, vraiment, cela n'en vaut pas la peine... C'est pour montrer qu'il faut savoir demander. »

A son retour sur terre, Petit Bodiel exerce son nouveau pouvoir sur divers animaux, particulièrement Oncle Éléphant et Oncle Hippopotame. Il leur promet des merveilles pour obtenir d'eux ce qu'il désire... « Pourquoi tous ont-il accepté ? Parce que, lorsque vous promettez à quelqu'un ce qu'il aime, il se laisse leurrer. Donc, il faudrait veiller sur nos passions pour qu'elles ne nous induisent pas en erreur. Lorsque vous aimez, vous ne voulez rien écouter que cela. Si un prince veut prendre la succession de son père et qu'un voyant lui dise : « Non, tu ne lui succéderas pas », il ne le croira pas, parce que ce qu'il veut, c'est être roi... Le meilleur appât pour attraper un homme, c'est de lui promettre ce qu'il désire... Donc, méfiez-vous de vos désirs. »

Ce qui compte pour le destin d'un homme, disait souvent Amadou Hampâté Bâ, ce ne sont pas les richesses, matérielles ou spirituelles, dont il peut avoir été gratifié, mais l'usage qu'il en fait. C'est pourquoi, précisait-il, dans le conte *Kaïdara* comme dans celui de *Petit Bodiel*, ce n'est pas le voyage « aller » vers un plan supérieur qui est déterminant, mais les épreuves qui parsèment le voyage du « retour » ; ce qui compte, ce ne sont pas les dons ou les pouvoirs, quels qu'ils soient, reçus au terme du premier voyage, mais, au retour, l'usage qui en sera fait... Lors de son voyage céleste, Petit Bodiel n'a d'ailleurs franchi qu'une partie du chemin : « Pourquoi Petit Bodiel n'a pas réussi ? Parce qu'il n'est allé qu'au troisième ciel, alors qu'il y avait encore quatre cieux. Il n'aurait pas dû s'arrêter en cours de route. Il a demandé la ruse, mais, comme on dit, « *la ruse peut parfois conduire le rusé dans une ruse qu'il ne connaît pas* ». »

En fin de compte, Petit Bodiel, grisé par sa réussite et ses pouvoirs occultes, ambitionne de devenir roi. Il néglige les conseils de sa mère – « Le commandement gagné par la ruse se perd par la brutalité... » – et lui manque gravement de respect, faute majeure en Afrique traditionnelle où toute bénédiction vient de la mère. Il en vient même à envisager de se substituer à Allawalam sur cette terre !... Derrière l'humour et la cocasserie du récit se profile le portrait-type de l'initié raté, « grisé de sa propre poussière [1] », qui finit par se prendre pour un maître et par abuser de ses semblables – portrait qui conserve, hélas, toute son actualité...

La maman de Petit Bodiel lui ayant retiré sa bénédiction, tout l'univers du petit malin s'écroule. Sur ce sujet, les questions des élèves sont nombreuses : « Le rôle de la mère, répond Amadou Hampâté Bâ, est capital dans la tradition africaine. C'est d'ailleurs pourquoi la sanankounya (cette forme d'alliance que l'on appelle « parenté à plaisanterie » parce qu'elle autorise entre ses membres toutes les libertés de langage sans que cela tire à conséquence) permet tout, sauf l'injure à la mère. »

Sur le plan occulte, la mère est considérée comme supérieure à l'homme : « Il est dit dans la Tradition qu'il existe onze forces fondamentales, mais que l'homme ne peut en acquérir que neuf. Seule la femme en acquiert onze. Les neuf forces sont symbolisées par les orifices que l'on appelle les « portes du corps » : sept portes (d'intériorisation et d'extériorisation [2]) situées dans la tête – la bouche, les deux narines, les deux yeux et les deux oreilles – plus les deux exutoires

1. Cf. *Vie et Enseignement de Tierno Bokar*, Éditions du Seuil, collection Points-Sagesse, pp. 152-153.
2. Précision apportée par A.H. Bâ dans l'émission télévisée « Un certain regard : Amadou Hampâté Bâ », Paris, ORTF, 1969.

naturels. Là s'arrête l'homme. Mais lorsque la femme devient mère, deux portes supplémentaires s'ouvrent sur sa poitrine »..., « portes, précise-t-il ailleurs, par lesquelles s'écoule la force de vie. Lorsque le nourrisson est suspendu au sein maternel, ce n'est pas seulement du lait qu'il boit, mais la Miséricorde divine elle-même, qui continue de le nourrir comme elle l'a déjà nourri dans le ventre de sa maman[1] ».

Selon la Tradition, explique-t-il, la mère est en effet considérée comme un laboratoire divin visité par Dieu lui-même. D'où l'adage : « *Tout ce que nous sommes et tout ce que nous avons sur cette terre, nous le devons une fois à notre père, mais deux fois à notre mère, aussi bien notre bonheur que notre malheur.* C'est pourquoi le respect de la maman est capital... C'est l'être que nous devons adorer, parce que la maman est irremplaçable... »

Au détour des questions, Amadou Hampâté Bâ met l'accent sur l'importance des mythes et des contes africains, « véritable pédagogie orale ». « N'ayant pas de papier, l'Afrique a confié ses enseignements au Verbe... » Il importe, pour lui, de préserver ces contes et, au besoin, de les introduire dans les écoles[2] en reprenant l'éducation à la base. « Mais attention, il ne s'agit pas non plus d'être conservateur à tout prix !... Nous devons nous considérer comme un arbre. Au fur et à mesure que l'arbre grandit, il y a des branches qui meurent. Il faut savoir les couper, mais il ne faut pas

1. Extrait d'une préface inédite rédigée par A.H. Bâ pour un ouvrage sur la femme africaine qui n'a pas été édité.
2. Une expérience très intéressante a été tentée en ce sens pendant plusieurs années dans certaines écoles françaises, notamment par Mmes Suzy Platiel (cf. note 1, p. 207) et Salamatou Sow, du Niger, linguiste et chercheur en langue et traditions peules.

couper le tronc, ni déraciner l'arbre. Les agronomes nous ont montré que parfois on peut aussi greffer. Donc, il faut savoir couper les branches mortes, greffer, mais jamais couper le tronc. »

Pour préserver, il faut d'abord récolter : « Vous avez maintenant tous les moyens pour enregistrer, pour faire le plus de récolte possible... La cueillette ! Cueillez tout ! Après, vous aurez le temps de classer tout cela à la manière des Européens... C'est la récolte qui est importante. Sinon, vous n'aurez pas de matière à élaborer... et vous allez faire une Afrique comme l'Europe désire qu'elle soit, et non pas comme elle est réellement.

« Donc, soyez authentiques, mais sans fermer le hublot qui vous permet de regarder à l'extérieur. Vous existez, mais l'autre aussi existe. Servez-vous de lui, prenez ce qu'il a de bien, et ce qu'il a de mauvais laissez-le-lui, c'est à lui... Les idées qui viennent de l'extérieur, je ne dis pas qu'il faut les exclure, mais il faut les passer au tamis...

« L'Afrique sera demain ce que vous ferez d'elle. Si vous cessez d'être africains, il n'y aura pas une Afrique, il y aura seulement un continent. Et là, vous aurez arraché une page de l'histoire de l'humanité. Vous serez absents. »

Ce qui importe, pour Amadou Hampâté Bâ, c'est d'être à la fois pleinement soi-même et ouvert aux autres, et d'être toujours « à l'écoute de son prochain ». Il cite l'adage peul : « *Si tu sais que tu ne sais pas, tu sauras. Si tu ne sais pas que tu ne sais pas, tu ne sauras pas.* »

Et il appelle les jeunes à réfléchir avant d'agir – « Avant de jeter une pierre, il faut se demander sur la tête de qui elle va tomber » – à se connaître eux-mêmes et à prendre conscience de leur rôle au sein de la société : « Un jeune qui ne se connaît pas fera un vieux voyou, un jeune qui ne s'aime pas deviendra un vieux clochard, un jeune qui n'accepte pas d'être élève ne sera jamais maître. »

Une jeune fille lui demande : « Quel est le thème central du conte ? – C'est que chacun s'y retrouve, répond-il. Il n'y a pas un thème central, il est global. Le conte est un miroir. Chacun doit s'y mirer et s'y retrouver. Il faut regarder en vous-mêmes. Avez-vous en vous un petit point de Petit Bodiel ? Si oui, est-ce du côté positif ou du côté négatif ? Si c'est dans le côté négatif, alors vous vous efforcerez de ne pas faire comme Petit Bodiel. Donc, c'est un modèle...

« La leçon du conte, c'est de vous chercher en vous-même, et de vous trouver. Ne vous cherchez pas au-dehors. Vous n'êtes pas au-dehors, vous êtes en vous-même. »

TABLE DES MATIÈRES

La morale de l'histoire

Il n'y a pas de petite querelle
Amadou Hampâté Bâ

Treize contes du Mali et d'ailleurs, fables merveilleuses ou récits d'aventures, projetant une lumière insolite sur les qualités et les défauts de la nature humaine. Treize contes riches d'enseignements qui, dans un style empreint d'humour et de poésie, stigmatisent les tares sociales des individus. Amadou Hampâté Bâ avait coutume de dire qu'« instruire en amusant a toujours été le grand principe des maîtres africains de jadis ». Ce recueil montre, une fois de plus, qu'il en est le digne héritier.

(Pocket n° 11070)

L'origine mythique des Peuls

Contes initiatiques peuls
Amadou Hampâté Bâ

Njeddo Dewal mère de la calamité : Aux premiers âges du peuple, une terrible sorcière, Njeddo Dewal, est envoyée par Dieu pour punir les Peuls de leurs péchés. Seul un enfant, qui n'est pas encore né, aurait le pouvoir de la vaincre...

Kaïdara : Le voyage initiatique de trois compagnons à travers un pays souterrain parsemé de rencontres symboliques et mystérieuses, vers la demeure du « lointain et bien proche Kaïdara », dieu de l'or et de la connaissance. Sur le chemin du retour, un seul sortira victorieux de toutes les épreuves...

(Pocket n° 10576)

Faites de nouvelles découvertes sur
www.pocket.fr

Cet ouvrage a été imprimé en France par

C P I
Bussière

à Saint-Amand-Montrond (Cher)
en octobre 2009

POCKET - 12, avenue d'Italie - 75627 Paris Cedex 13

— N° d'imp. : 91488. —
Dépôt légal : février 2006.
Suite du premier tirage : octobre 2009.